KB034587

An evil princess bring her parent's home to ruin ★ volume.1

크르트 메이덴
가일의 종자로
아란의 절친한 벗이
되는 쿨한 소년.
아란 그레이
엘로즈의 배다른
남동생으로 천사처럼
사랑스러운 소년.
마리우스
궁정 의사로 일하는
온화한 분위기의
하프 엘프.
엘로즈 디아로즈
에멘탈 아클라우스
전생에 부녀자였던 이 책의 주인공.
전생에서 즐겨 읽던 소설 속 세계에
악역 영애 포지션으로 다시 태어났다.
가내 안

가일 도울블
엘로즈의 사촌
남동생으로 기품
넘치는 왕자 전하.
림
대현자로 칭송받는
미모의 엘프.

CONTENTS

악역 영애는 가문의 몰락을 꿈꾼다 1

사쿠라 사쿠라 사쿠라

L NOVEL

제 1 장 역할을 깨달았어요

—좋아하는 이야기가 있었다.

여성을 위한 소설로 만화와 애니메이션으로도 만들어진 이야기였다.

마법과 검이 있고 마수가 존재하는 곳에서 뜨거운 우정과 풋풋한 연애, 그리고 존엄을 건 전투 속에서 소년들이 성장하는 가슴 뛰는 이야기였다.

소설 속 주인공에게는 나이 차이 나는 배다른 누나가 있었다.

주인공의 박복함을 더욱 두드러지게 하기 위해서였을까. 누나와의 차이는 심했다. 내용 중에 하극상이 있었으니 어쩔 수 없다.

아버지의 무관심, 외가의 신분 차이, 자부심의 차이는 어쩔 수 없지만 주변을 주의 깊게 관찰하던 누나는 못된 잔머리가 발동하여 부하를 이용해 주인공을 궁지로 몰아넣었다. 그 훌륭한 잔머리를 보고 좀 더 좋은 일에 머리를 쓰면 좋을 텐데 라고 생각했었다.

소설 속에서 그녀는 주인공을 군대로 팔아넘긴다. 신분은 귀족이지만 평민 첩의 소생이라며 주인공은 잡병 취급을 당했다.

주인공의 첫사랑을 큰 소리로 비웃으며 마구 짓밟고 주인공의 친구를 몸으로 농락한 만만찮은 누이와, 진흙투성이가 되어 굴욕에 몸서리치면서도 꿋꿋이 참고 견뎌 엄청난 마법사가 된 남동생.

읽고 또 읽었었다. 남자 신데렐라, 남자 오싱으로 불리던 하극상 소설로 소년들의 성장과 전투 묘사, 나아가 정치 문제를 담은 내용은 뒷이야기가 궁금해서 안달이 났었다. 12권을 처음부터 끝까지 모조리 읽을 정도였다.

……그리고 부녀자들 사이에서는 각종 캐릭터를 커플로 만든 동인지도 활발히 만들어졌다.

부녀자들의 구매욕을 부추긴 큰 서클의 의도에 편승한 건지 그 소설의 2차 창작 동인지는 그 후 주인공 총수(総受)가 주류로 자리 잡게 되었다.

포박, 난교, 감금 능욕은 당연한 비치 총수 주인공이었다.

어째서 그런 것까지 아느냐고?

나도 왕도 커플링에 정착했었으니까.

네, 여름과 겨울엔 예의 그 장소에서 살았었죠.

메이저는 친구 공, 주인공 수였다. 전성기 때는 넓디넓은 한 층 가득 친구 공, 주인공 수인 서클뿐이었다.

그러니 친구가 누이와 속닥거리는 장면이 실린 신간이 출판됐을 때는 그야말로 아비규환에 비난이 들끓었다.

작가 블로그에는 악플이 쇄도했다.

그러나 부녀자들에게 그냥 일어나는 아침은 없다.

원작에서는 아침 장면으로 바로 바뀌며 간밤에 일어났던 행위를 얼버무렸지만 동인지에서는 그 공백의 시간을 훌륭하게 날조했다.

대강 읽어본 바로는 주인공에 대해 공이었던 꽃미남에 날씬한 근육질 몸매 친구가 누나를 상대할 때만은 수 취급당했다.

누나의 소행을 구체적으로 들면 주인공의 친구를 줄로 결박하고 주인공이 보는 앞에서 가슴으로 문질러 뿜게 했던 것이 한 편, 엉덩이를 찌르고 두 다리를 벌리고 올라탔던 것이 한 편, 스타킹으로 괴롭힌 뒤 올라타서 쥐어짜낸 것이 한 편, 잔뜩 애태운 뒤 애걸복걸하게 만들어 입으로 한 것이 한 편, 채찍으로 호되게 혼내준 뒤 올라타서 삽입한 채로 5회라는, 강력한 묘사의 동인 작가들 이었다.

……정력가죠. 압니다.

그중에서도 굉장한 것이 싫어하는 주인공을 호위가 덮치게 하고 그 옆에서 깔깔 웃으면서 친구의 정자를 짜내는 편이다.

더욱 잔인했던 건 주인공을 덮치게 한 뒤 피투성이가 된 그의 엉덩이에 친구의 물건을 찔러 넣게 한 거다.

움직이면 주인공이 더 크게 다치니까 움직이려야 움직일 수 없는 친구가 울면서 그에게 사과하는 장면에서는 모든 부녀자가 울었다. 더욱이 잔인한 누나가 신체 마법으로 근육맨으로 변해 주인공을 꿰뚫고 있는 친구의 엉덩이를 냠냠했다.

호호호, 웃으면서 허리를 흔드는 근육맨.

그 사이에도 언어 공격을 잊지 않는 잔인함.

엄청 충격 받았다. 게다가 큰 서클에서 나온 거라 그림이 예뻐서 버리지도 못하고 — 가격도 그렇고 — 엄청 난감했었다.

친구의 엉덩이가 얼마나 좋은지 주인공에게 친절히 설명해 정신적으로 이어져 있는 두 사람의 삶과 그것을 간접 체험하는 독자의 삶을 강제로 깎아먹은 조신한 말투의 근육맨.

트라우마였다.

힘껏 뽑을 때마다 친구의 물건이 주인공을 자극하여 고개 숙이고 있던 주인공의 물건이 고개를 들면, 눈치 빠른 악녀, 아니, 근육맨이 가느다란 금사로 그 뿌리를 동여매고 더욱이 친구의 그것까지 동여매고 요란하게 허리를 흔들어댔었지.

강하게 찔러댈 때마다 엉덩이에 전해진 자극에 터질 것처럼 빵빵해진 물건으로부터 쾌감이 전류처럼 온몸을 관통하는 두 사람과 근육맨.

분출하지 못하는 괴로움에 눈물지으며 서로를 위로하는 연인들.

얄팍한 동인지의 어쩔 수 없음이여. 능욕 엔딩에 우울한 결말이고. 행복의 단편도 없음.

—그래도 사기 위해서 줄섰어. 엄청난 추위 속에서 두 시간이나. 큰 서클의 삽화가의 러프한 매직화가 그려진 핫팩이 앞에서부터 전달돼 옆에 서 있던 모르는 사람과 손을 맞잡고 웃었었지……. 그 장소가 가진 일체감에 가슴이 뜨거워졌어. 그러니 더 버릴 수가 없잖아. 한 번 완독한 뒤에 봉인했지만. 그 책, 아직 내 책장에 있을까. 그런 책을 엄마가 본다면 딸의 정신을 의심하겠지.

아, 뭐라고?

왜 이런 얘길 장황하게 늘어놓는 거냐고?

어머 나도 참, 말씀드린다는 게 늦었군요.

"……안녕하세요. 엘로즈 디아로즈 에멘탈 아클라우스라고 해요."

아클라우스 가문의 장녀. 소설의 사교계에서는 장미 중의 장미로 불리는 아가씨.

실체는 배다른 남동생의 존재를 못마땅하게 여겨 증오하고 괴롭히는 악역 중의 악역.

흑장미 로즈.

악행의 끝을 달리며 주인공을 궁지에 몰아넣고 주인공의 절친한 벗을 곤경에 빠뜨리고 결국 주요 인물들에게 악행의 증거를 붙잡혀 세상 사람들에게 손가락질받고 돌팔매질당하고 탈옥이 불가능한 것으로 알려진 천공의 감옥에 갇혀 죽을 때까지 죄인으로서 밑바닥 생활을 해야 하는 악녀.

목을 베어도 심장에 칼을 꽂아도 죽을 수 없는 저주에 걸려 사방이 막힌 공간에서 죄인으로서 살아가야 하는 결말임에도 불구하고 빳빳이 고개를 들고 주인공에게 욕설을 퍼부었던 마지막까지 흔들림 없는 악역.

주인공들의 환한 미소에 가려져 기억에 남지 않았던 가장 마지막 장의 그 장면은 어렴풋하다. 당연하게도 불우한 영웅을 동정하는 심리가 있고 악역이 인과응보로 몰락해가는 과정은 가슴을 후련하게 할 뿐이다. 마찬가지로 주인공 편인 나도 주인공과 벗이 서로 미소 짓는 마지막 장면만이 기억 속에 또렷이 남아 있다.

하지만 소설 내용에는 없었던, 죄인에게 능욕당하는 엘로즈의 모습은 동인지에서는 상세히 그려졌다.

상대는 식인귀부터 전투광, 울끈이불끈이에 이르기까지 다종다양하여 부족함이 없었고 가장 최악이었던 드러운 아저씨에게 겁탈당해 배가 부르는 결말까지 있었다. 장르 중에 사악한 아가씨 장르가 생겼고 그건 전적으로 남성향이었다. 악역이라고는 해도 엘로즈는 몸매가 좋았고 돼지가 엘프를 낳았다고 할 정도로 미인이었으니까.

아는 언니가 샀다고 해서 대놓고 본 적도 있다.

그건 훨씬 굉장한 옥중의 능욕이 결말이었나…….

—뭐, 현실 도피를 겸한 현상 파악도 이쯤 해둘까. 어찌된 영문인지 나는 다시 태어난 모양이다. 그것도 내가 가장 좋아했던 소설 속 세계에.

"……에, 엘로즈 아란이다. 네…… 남동생이다."

뱃살이 늘어진 뚱뚱한 남자가 땀을 닦으며 내 얼굴을 살폈다.

아, 아마도 표정 변화가 전혀 없는 나에게 두려움을 느낀 게 아닐까. 최근 나를 보는 아버지의 눈빛이 두려워하며 눈치를 살피는 것으로 바뀌기 시작했다.

아버지에게 대답하기 위해 시선을 마주친 순간 무거운 물주머니가 던져진 것 같은 소리가 울려 퍼졌다.

거실에 울려 퍼진 소리는 자신에게 관대하고 절제력이 없는 어머니의 뚱뚱한 몸이 넘어지면서 난 소리였다.

이 술통 같은 체형의 돼지가 왕가의 피를 이어받은 고귀한 아가씨의 애잔한 말로다. 세상도 말세다!

"마님!", "마님!" 하고 부산을 떨기 시작한 하녀와 집사를 무시하고 나는 아란이라고 불린 소년을 찬찬히 뜯어보았다.

엷은 금발, 가는 몸. 긴 앞머리 사이로 슬쩍 이쪽을 엿보는 작은 짐승 같은 푸른 눈동자.

흑장미로 불린 엘로즈의 잔학성을 자극했을 테지. 쭈뼛거리며 소극적인 태도를 취했던 작은 소년.

틀림없다. 주인공 아란 그레이다.

……그와 동시에 떠오른 기억의 소용돌이 속에서, 나는 서 있는 것이 고작이었다.

자기소개를 해놓고 뭣하지만, 엘로즈 디아로즈 에멘탈 아클라우스.

그러니까, 나는……내 역할은 설마 그 사악한 아가씨인가요.

후후, 후후후, 후후후후. 아아, 현실 도피 하고 싶다.

남동생으로서 대면하게 된 금발의 작은 짐승, 아란을 보고 단박에 되살아난 전생의 기억에 정신이 아득해졌지만 억지로 두 발에 힘을 주고 버티어 섰다.

그리고 다시 이번 생에서의 십 년을 돌아보고 여러 가지를 납득했다. 그래서 이 부모를 따를 수 없었고 물들지 않았던 거다. 왠지 이상하다. 이 둘을 부모라고 생각했던 지금까지의 내가 정말 대단하다.

그야 이 부부는 아무리 봐도 인간의 옷을 입은 오크 같은걸. 도저히 사람으로 보이지 않는다. 감성이 제대로라 다행이다.

철이 들 무렵부터 방임 상태였던 것도 도움이 되었을지도 모른다. 집사와 시녀를 쫓아다니면서 질문 공세를 펼쳤었나. 소리를 지

른 집사가 가정교사를 구해줬을 때는 승리를 예감했다. 선생님께는 영지 경영부터 사교계 예절에 이르기까지 엄하게 배웠다!

원래 어머니의 신분이라면 아버지 같은 하찮은 인물에게 시집가는 일 따윈 없을 테니까. 그걸 보더라도 할아버지와 백부님이 가망이 없다고 판단하고 그럴 듯한 모양새로 쫓아냈다고 보는 게 타당하겠지.

아버지는 고귀한 후작 가문 출신이지만 그것뿐으로, 정치에 어둡고 인망도 없고 군부에도 얼굴이 알려지지 않은 남자다. 내 아버지지만 한심하다.

반대로 말하면 타국의 왕가에 시집보낼 수 없을 만큼 무식했던 딸의 신랑감으로는 적격이었다. 국정에 관여할 만큼 영리하지 않고 군대를 맡으려 해도 능력이 없다. 붙여놓아도 국익을 해칠 정도는 아니고 감시하기 쉬워 보이는 구석도 있다.

그러고 보니 최근에 할아버지가 우리 집을 흥미롭게 보는 느낌이 들었는데 두 돼지가 또 무슨 장난질이라도 친 건가. 그럼 여기서 악수를 둘 수는 없다.

최악의 경우에는 한순간에 집안이 망할 가능성도 있고…….

……아니지. 망하는 게 좋지 않을……까……?

내 기억이 확실하다면 이 돼지는 엘로즈가 열한 살일 무렵 이미 노예 매매에 손을 댔었다.

어머니가 수상한 약에 손을 댄 것도 아란이 오기 전부터였다. 남자를 돈으로 사들여 온 집안에 다 들리도록 신음 소리를 내면서 관계를 가졌다. 딸이 있든 없든 상관없이. 돼지와 마주치기 싫어서 방에서 나가지 않으면 옳다구나 하고 남자들을 끌어들였다.

그러고 보니 관계 후에 아란에게 시트를 빨게 하는 묘사가 있었다. 그건 원작이었나? 아니면 동인지?

……아, 그보다 지금 이건 원작처럼 19금이 없는 작품일까 아니면 19금 동인지 모드일까?

자, 잠깐 잠깐 잠깐.

식은땀이 나기 시작했다. 등줄기가 서늘해지고 발끝부터 얼어붙었다.

자, 잠깐만. 혹시 지금 중대한 기로에 서 있는 거야?

"……에, 엘로즈. 그, 그게, 갑자기 남동생이라니 납득하기 힘들겠지만 말이다, 그, 그, 그래! 모, 몸종으로 쓰는 건 어떻겠니!"

"(잠깐만 돼지야아아아!) 아버지. 할아버지께 숨김없이 말씀드리세요."

원작의 아란은 거두어들여지자마자 어머니와 나의 강경한 반대에 부딪혀 헛간에 갇혔다. 그건 분명 엘로즈 열 살, 아란 다섯 살 때의 일이었지…….

그리고 지금 나는 열 살.

'망 했 다 !'

어쩌지? 망했어!

……아, 아니지 아니지. 아직 포기하기엔 일러!

지금이라면! 지금이라면 늦지 않았다! 아니, 반드시 늦지 않게 만들겠어!

나는 각오를 다지고 돼지와 대치했다.

"아버지. 할아버지께 말씀드리고 진심으로 사의를 표하고 왕가에 충성을 표시하세요."

"아뇨, 용서 못 해요! 아버지와 오라버니께 당신이 저지른 짓을 고하겠어요!"

"(조용히 해! 돼지야!) 어머니. 그래서 어쩌시게요?"

"물론 이 천민을 당장 쫓아내고 수치를 모르는 그 물건을 잘라버리겠어요!"

……응. 그건 딱히 상관없어.

하지만 이 주인공(아란)의 향후 십 년이 내 미래를 결정한다.

어떻게든 동인지에서 본 배드 엔딩만은 피하고 싶다!

"죄는 아버지 한 사람에게 있겠죠. 아버지 신분이면 이 아이의 어머니도 거부할 수 없어요. 하물며 태어난 아이에게 무슨 죄가 있겠어요."

책임이라면 제조자한테 물어!

겉으로는 담담하게 정론을 펼쳤지만 사실은 등에 식은땀을 줄줄 흘리면서 말했다.

힘내자! 엘로즈! 평온한 결말을 맞이하기 위해서!

"엘로즈! 이 어미에게 말대답을 하는 거예요?"

"어머니는 필요 없다고 하시고, 아버지께 맡겨뒀다간 이 집에서 쫓겨나겠지. ……아란? 이리 오렴."

이대로 이곳에 있으면 결국엔 헛간에 갇히겠지.

그럼 아란 7세, 어머니의 정부에게 까딱하면 순결을 빼앗길 위기에 처한다. 아란 8세, 학대에 불이 붙은 누나의 계략으로 남자 하인에게 까딱하면 순결을 빼앗길 위기에 처한다. 아란 9세, 아버지의 물건을 억지로 입에 넣고 울면서 봉사…… 어라, 이건 동인지의 기억인가?

그런 생각에 빠져 있는 나를 현실로 불러들이듯 아버지의 거친 목소리가 들렸다.

“엘로즈!”

허세를 부리지만 도움을 구하는 것 같은 시선에 한숨을 내쉬었다. 정말이지 꼴불견에도 정도가 있다. 자기가 싸지른 똥은 자기가 치우라고!

“……아버지. 각오하세요. 바깥에서 씨를 뿌리고 다니시는 건 곤란해요. 어머니도 그런 어설픈 칼로는 아버지의 물건을 벨 수 없어요. 주치의 마크랄레 선생님을 부르죠. 물건을 잘라서 할아버지께 사죄드리러 가면 용서해주실 거예요. 어머니, 이것도 어머니가 저를 낳으신 뒤 아이를 잉태하지 못했기 때문이에요. 아버지는 어떤 의미로 혈통을 이은 거예요. 아란은 제가 보살피면서 저와 같은 교육을 받게 하겠어요. 아버지께 만에 하나 무슨 변고가 생겼을 때 이 집안을 이끌어갈 사람이 저 하나인 것보다는 아란이 있는 게 도움이 될 거예요.”

이 게으르고 향락에 물든 아버지에게서 일찌감치 상속인 자리를 빼앗자. 그러기 위해서는 할아버지와 백부님의 힘이 반드시 필요하다.

이 아버지에게 사업을 맡겨두면 원작에서 엘로즈도 관련되어 있던 노예 매매나 금지 약물 거래, 종래에는 왕족 암살 미수까지 곧장 치닫게 될 거다.

“에, 엘로즈 님.”

“아란. 이제부터 나를 누님라고 불러. 어머니는 다르지만 우리는 남매니까.”

이런 멍청이가 관리하는 후작가에 미래는 없지만, 나도 여자로 태어난 이상 억지로 임신하는 그런 배드 엔딩만은 피하고 싶다.

‘아아, 신이 있다면 부디 가르쳐주소서.’

전생에 재미있게 읽었던 소설과 동인지 내용을 떠올린 지금, 나는 머릿속의 제단 앞에 무릎을 꿇고 가슴 앞에 두 손을 모으고 머리를 숙였다.

‘……원작인가요, 동인지인가요…….’

신이시여. 이 둘 사이에는 가까운 듯 깊고 먼 골이 있습니다.

내가 아득한 시선으로 생각에 잠겨 있자 그 자리에 무료하게 서 있던 아란이 쭈뼛거리면서 말을 걸어왔다.

“제, 제가 여기 있어도 되나요?”

“물론이지. 어쨌든 아클라우스 가문의 자손이니까.”

“하, 하지만 후작부인이 절 내쫓으라고…….”

“아란 그레이! 내 남동생은 그렇게 겁쟁이처럼 굴면 안 돼! 의연히 앞을 봐!”

안 그러면 너무 귀여워서 내 이성이 달아날 것 같으니까.

"아, 네! 에, 엘로즈 님."

"누님이야."

그렇게 정정하면서 나는 상황을 정리했다. 만약 이 세계가 원작이라면 아란을 둘러싼 장미의 세계가 전개될 일은 없을 거고, 주요 인물 능욕의 위험도 없을 거다.

……왜냐하면 소설에서 유일하게 능욕당하는 주요 인물은 흑장미 아가씨에게 걸린 남성이자 아란의 친구, 크르트의 능욕 뿐이었으니까!

조금이라도 원만한 결말을 맞이하기 위해서는 아란의 잠재의식 속에 숨어 있는 마법적 소양을 각성시켜야 한다. 하지만 그것도 내 괴롭힘이 계기였다.

어쩐다. 최대한 좋은 누님을 연기하면서 이 집안의 악행을 고발해 몰락의 길을 걷게 해야 한다. 이 무리한 게임은 뭐냐고!

게다가 만약, 만약 동인지라면…….

결박과 감금 있고 도구는 물론 약과 복수 플레이까지 덤벼라 하는 미래가 기다리고 있다. 약도 천국부터 지옥까지 단계별, 종류별로 갖춰져 있는 능욕 설정, 나아가서는 애태우기 플레이에 처벌 플레이, 수치 플레이, 그리고 또 뭐였더라……?

아아, 코스프레 플레이에 메이드 플레이였지…….

싫다. 그런 미래.

"엘로즈 누님?"

"아무것도 아냐. 아란."

나는 미덥지 못한 눈빛으로 나를 올려다보는 아란에게 정신을 부여잡고 미소를 지어 보였다.

아아, 내 역할이 흑장미 엘로즈가 아니었다면 우리 아란의 미덥지 못한 얼굴에 침을 가득 묻혀줄 텐데!

귀엽구나. 나의 천사 아란. 하지만 널 혹독하게 단련시킬 거야!

만에 하나 이곳이 동인지의 세계라면 네가 험한 꼴을 당하게 될 테니까 그걸 막기 위해서라도 이 엘로즈는 냉혹한 사람이 될 거야!

그래. 흑장미는 썩어도 흑장미.

기억난 이상, 이 배드 엔딩은 확실히 피하겠어!

제 2 장 저는 평온한 결말을 맞이하고 싶을 뿐이에요

“용서해주세요……!”

납죽 엎드려 용서를 구하는 시녀의 손가락에 난로의 부지깽이를 바짝 갖다 붙였다. 꽉 다문 입술 사이로 새어나오는 비명을 듣고 아버지가 방으로 후다닥 들어왔다.

“엘로즈! 뭐하는 거냐.”

아버지의 추궁을 한 귀로 흘리면서 부지깽이를 내던지고 방을 가로질렀다. 화장대 앞에 앉아 거울 너머로 아버지와 눈을 마주쳤다.

“아버지. 이 여자가 내 머리카락을 뽑았어요.”

증거로 빗에 휘감겨 있는 머리카락을 보여주자 아버지의 눈썹이 참혹하다는 듯 내려갔다.

“저런, 아팠겠구나. 엘로즈. 실수를 저질렀다면 할 수 없다. 하지만 이 손가락으로는 계속 네 시녀는 못 하겠지. 아직 빚이 남았는데 어찌 해야 할꼬.”

토실하게 살이 찐 남자의 눈이 호색한 같은 빛을 더했다.

시녀의 머리부터 여전히 납죽 엎드린 허리, 엉덩이, 발목을 죽 내려다보았다.

생리적인 혐오감에 몸을 떤 시녀가 포기하지 않고 애원했다.

“후, 후작님! 제발 용서해주세요!”

"흠, 분명 딜바 자작가의 딸이라고 했었나? 빚에 보탬이 될까 하여 일하게 해줬더니 쓸모없는 계집이었군."

"후, 후작님!"

시녀의 얼굴이 절망으로 물들었다.

"네 아버지가 하도 부탁해서 이렇게 고용해준 거라고?"

아버지가 얼굴을 일그러뜨리며 기분 나쁜 미소를 지었다.

"아버지, 저도 많이 참았지만 역시 안 되겠어요. 이 아이, 자작이 말했던 것만큼 재주가 좋지 않아요. 빗질 하나도 제대로 못하다니. 쓸모없어."

의자에 앉아 거울을 보며 이런 대화를 주고받던 소녀는 휙 턱을 돌렸다.

오만한 몸짓까지 희미하게 보일 만큼 아름다운 엘로즈.

장미 중의 장미라는 명칭도 과장이 아니다.

등을 타고 흘러내린 옅은 금발은 투명할 만큼 섬세하다. 가지런한 눈썹에 긴 속눈썹이 장식한 눈동자는 하늘을 녹여놓은 것 같은 연청색으로 보는 이를 얼어붙게 만들었다. 긴 손톱 끝까지 신경질적으로 정돈된 가느다란 손가락이 거울 속에서 시선이 마주친 소녀를 가리켰다.

정확히 자신을 가리킨 손끝에 소녀가 몸을 움츠렸다.

"아버지, 저는 이 아이 필요 없어요. 아버지 일이라면 쓸 만한 데가 있지 않을까요?"

마치 실증난 장난감을 버리듯 엘로즈가 내뱉었다.

"하하하. 엘로즈, 냉정하구나. 하지만 정말 괜찮겠느냐? 아버지의 일을 보게 하면 이제 이 집에는 돌아올 수 없는데?"

아버지가 웃었다. 살에 파묻힌 가느다란 눈이 더욱 가늘고 교활하게 변했다.

엘로즈는 그런 아버지와 시녀를 남 일처럼 바라보았다.

"아, 아가씨! 용서해주세요. 다시는 실수하지 않을게요! 그러니 제발!"

"난 사과하면 다 해결된다고 생각하는 사람의 말뿐인 사과는 필요 없어. 그리고 너의 그 독선적인 시중은 고통일 뿐이야. 잡다한 시중을 들 땐 상대의 입장에서 세심한 주의를 기울여야 하는 법이거늘. 머리카락을 너무 잡아당겨서 얼굴이 변형되는 줄 알았어."

"아가씨! 아가씨, 용서해주세요!"

"아아, 아버지. 한 가지 부탁이 있어요."

울부짖는 시녀의 팔을 붙잡고 방을 나가려던 아버지에게 인형처럼 새침한 표정을 한 딸이 거울 속에서 미소 지었다.

"그 아이의 머리카락만큼은 제 마음에 들어요. 가발로 만들어주시겠어요?"

"오? 아아, 그래. 그럼 그렇게 조치하마. 자, 너는 따라와."

"그, 그런! 제발요, 주인 어르신! 살려주세요. 살려주세요, 아가씨!"

비명을 지르면서 끌려 나가는 소녀를 배웅한 뒤, 엘로즈는 향유의 뚜껑을 열었다.

머리카락에 장미향이 나는 기름을 바르면서 거울 속의 자신과 눈을 마주쳤다.

거울 속에 비친 매혹적인 입술이 붉은 활시위처럼 당겨 올라갔다.

낮고 작은 조소가 머지않아 크고 새된 소리로 변해갔다.

"호호호. 아란의 절망하는 표정이 눈에 선하구나!"

최근 살짝 튼튼해진 아란이 그 소녀와 대화를 나누는 모습을, 엘로즈는 몇 번인가 봐서 알고 있었다.

기쁜 듯이 뺨을 붉게 물들이고 시선을 피하며 수줍게 웃던 둘. 허드렛일을 하는 아란과 귀족 자녀의 풋풋한 연심이 슬쩍 엿보였다. 사랑과는 거리가 먼 소꿉장난 같은 관계였다.

'이왕이면 재수 없는 그 애 앞에서 그 여자를 엉망으로 만들어주면 좋을 텐데.'

그 아버지라면 남들 앞에서는 더욱 흥이 오를 거다.

두 사람 사이에 싹튼 옅은 첫사랑을 진흙투성이로 만들고 갈기갈기 찢어주고 싶었다.

아란의 눈동자는 절망으로 물들까. 복수로 불탈까.

겁먹은 작은 짐승 같은 동정심을 불러일으키고 보호 본능을 자극하는, 아무런 도움도 되지 않는 작은 아이.

살아 있는 것만으로 내 심장에 손톱을 꽂는 짜증나는 생물이다.

그 애의 몸 안에 절반이라고는 해도 나와 같은 피가 흐르는 일 따위 용납할 수 없었다.

천한 몸 안에 이 고귀한 피가 한 방울이라도 흐르는 걸 용납할 수 없었다.

칼로 베어서 그 몸 안의 피가 몽땅 교체될 때까지 피 흘리게 하고 싶다.

태어난 걸 후회할 때까지 상처주고 깎아내리고 멸시해도 부족하다.

고귀한 내 머리카락보다 짙은 그 머리카락도 짜증나지만 무엇보다 화가 치미는 건 그 눈동자 색깔이다. 무엇보다 고귀한 사파이어 블루. 내 눈동자보다 짙은 그 아이의 눈동자를 보고 나는 내 안에서 무언가가 치밀어 오르는 것을 막을 수 없었다. 고작 절반의 피를 이어받은 아란에게 하필이면 그 색이 주어진 사실이 말할 수 없이 분했다.

그래서 예법 견습생이라는 것은 명색뿐인, 빚 담보로 이 집에 온 소녀를 일부러 아란 곁에서 일하게 했다.

머지않아 창녀가 될 게 뻔한데도 그걸 모르는 소녀가 몹시 우스웠다.

조소를 숨기고 꿀을 주었다. 비장의 산제물로 만들기 위해서 일부러 내 전담 시녀로 삼고서.

"늘 고마워."

변덕으로 건넸던 수고의 말도.

"어머, 이 리본은 나보다 너한테 더 잘 어울리겠어."

예쁜 새틴 리본도.

"세상에, 이 머리 모양 너무 멋져."

도움이 된다고 생각하게 만들기 위한 웃음 속에 감춰진 거짓말도.

모두 아란이 절망에 물들 순간을 보기 위해서였다.

세상의 부정 따위를 본 적이 없는 소녀는 그대로 걸려들었다.

일은 힘들지 않은지, 어려운 일을 시키진 않는지 — 사실은 자기처럼 매질을 당하는 건 아닌지 묻고 싶었던 거겠지 — 걱정스럽게 묻는 아란에게 아가씨는 무척 다정한 분이세요, 라고 미소 지으며 단언했던 소녀. 복잡한 표정으로 미소 지어 보인 소년.

때는 무르익었다.

"저 핑크 블론드로 가발을 만들면 아란에게 보여줘야지. 네 첫사랑 소녀는 노예로 전락했다고 똑똑히 알려줘야지."

머리카락을 짧게 자르는 것은 죄인이나 노예가 되었다는 증거다.

신분을 박탈당한 자가 시민권을 얻기 위해서는 그것을 살 수 있을 정도의 돈을 벌어야만 한다. 하지만 머리카락까지는 잘리지 않는다.

머리카락을 잘리는 것은 인간으로서의 존재 자체를 박탈당하는 것.

엘로즈가 소녀의 머리카락을 갖길 원한다는 것은, 귀족이라는 소녀의 신분을 빼앗고 인간으로서의 존엄마저 빼앗는 것이었다.

"저 애는 몸값이 별로 비싸진 않지. 귀족 자제라곤 해도 아버지한테 더럽혀진 몸일 테니. 그렇지, 평민에게라면 비싸게 팔릴까? 노예상에 말해서 이번에 한해서는 평민도 참가할 수 있게 하자."

저택에 소녀의 비통한 비명이 울려 퍼지는 가운데 엘로즈는 큰 장미처럼 웃었다.

***

……안녕하세요, 여러분.

어머, 겁내지 마세요. 천하의 흑장미가 예의 바르게 나온다고 겁낼 필요는 없어요. 아무런 뜻도 없어요. 정말로.

어머, 안색이 나쁜데 괜찮냐고요? 뭐, 호호호…….

괜 찮 을 리 가 있 겠 어 어 어 !

머릿속에서 밥상을 홱 엎어버리고, 나, 현재 엘로즈는 숨을 쌕쌕거리면서 간신히 침대에서 빠져나왔다.

'우으으. 대관절 무슨 이유로 아침 댓바람부터 소설의 내용이 꿈에 나와…….'

게다가 애니메이션이었어. 컬러였어. 반복해서 봤던 그 분할 화면이었어!

아란의 첫사랑을 파멸시킨 화였다. 소설은 물론이고 만화와 애니메이션도 몇 번을 돌려봤던가.

분명 그 후, 사라진 첫사랑 소녀를 찾기 위해서 아란이 비에 흠뻑 젖은 채로 마을을 뛰어다녔다.

애절함이 하늘을 찌르고 가슴이 찢어졌다.

하지만 소리 없이 다가오는 슬픈 결말을 상상하며 앞으로 진행될 이야기에 두려웠던 화다!

악마가 — 지금 이야기 속 사람이 나다! — 교묘하게 사람을 이용해서 아란을 유도해 지금이다 싶은 최악의 순간에 노예 시장에서 재회하지만.

도망치자며 내민 아란의 손을, 그녀는 거절한다. 울면서 하는 거절은 강한 감동을 줬었다. 거절당한 아란의 망연자실한 표정도 감동적이었다. 그 장면만 보면서 덮밥 세 그릇은 뚝딱할 수 있다.

왜냐고오! 라며 몸부림쳤던가.

하지만 불합리하게도 그녀의 몸은 이미 그녀 한 사람의 것이 아니었다.

돼지에 의해 너덜너덜해진 소녀를 비웃으며 소녀의 머리카락을 자르고 그 귓가에 속삭인 악마가 있었다.

망연자실한 소녀의 턱을 부채로 건져 올리고 아름다운 악마는 푸른 눈동자를 반짝이며 노래하듯 독설을 퍼부었다.

"도망쳐도 돼! 부친의 빚을 너 혼자 짊어질 필요는 없으니까. 그야 대신할 게 있잖아? 네 여동생이라면 분명 좀 더 비싼 값에 팔릴 거야."

소설책을 쥔 손을 분노로 떨었었나. 텔레비전 화면을 향해 주먹을 날렸었나.

뭐 이것도 훗날 아란의 마력 발현으로 이어지는 계기 중 하나였으니 필요한 이별이었다는 건 알지만.

이 말로 표현할 길 없는 분노.

어 디 다 풀 면 되 는 거 야 !

'풀 상대가 없어! 없다고! 저기, 책임자 없어? 그보다, 역시 나야? 내가 나쁜 거야? 그래?'

정신은 이미 안드로메다행이지만 아침은 온다. 얼굴을 꼬집어도 머리를 때려도 원래 세계로 돌아갈 것 같지 않은 느낌이 절망감을 불러왔다.

'엘로즈, 정신 차려. 누가 뭐라든 지금은 네가 엘로즈니까.'

거울 속에 비친 자신을 다시 응시했다.

겉모습만은 여전히 성스러울 정도로 미인이라는 점이 마음을 복잡하게 만들었다.

성격이 나쁘면 얼굴에 드러나는 거 아냐? 그렇게 악랄한 짓을 저지르는데도 이런 얼굴이라니…… 뭐가 뭔지 모르겠지만, 예쁘다. 내 미적 감각은 아직 안 죽은 거지?

어? 하지만 지금 속에 있는 건 나니까 바보스러움이 배어 있나? 진짜 엘로즈라면 좀 더 날카롭고 무섭고 이런 얼굴이 아닐지도?

지금 거울 속에 비친 엘로즈는 어리기만 할 뿐, 기억 속의 흑장미와 차이가 없다.

지금은 열 살이고, 아란과도 어제 막 만난 현재의 엘로즈는 악에 물들기 전에는 천사였을지도 모르잖아!

'천사 흑장미라니, 뭐야 그건 무슨 악몽이야? 아니지. 생각해보면 지금 안에 있는 건 나다. 자랑은 아니지만 나는 아란 지상주의자다! 귀여워해주긴 하겠지만 학대라니. 게다가 정신적으로 밀어붙이는 그런 짓은 못 한다. 왜냐하면 나는 나지 흑장미가 아니니까. 그럼 이거 어쩔 수 없는 거 아냐?'

그 소녀가 저택에 일하러 온다고 해도 분명 3년은 뒤의 일일 거다.

그때까지 아란을 교육하면서 누님은 해로운 존재가 아님을 넌지시 주입시켜서 위기 피하고 돼지 아비의 부정과 만년 꽃밭인 어머니의 약물 매매의 자세한 사정과 판로를 밝혀내서 응당의 처분을 받게 하자.

'아, 맞아. 몰락 후의 처신에 대해서도 생각해야지.'

최선의 도피처는 영지 내에 있는 수도원이지만 귀족 신분이나 영지는 몰락과 동시에 박탈당할 것이다. 한순간에 추락하지 않기 위해서라도 자기 명의로 꾸준히 기부해두자. 아버지나 어머니나 기부 따윈 아깝다고 생각하는 분들이시고.

아란은 그 마법 소양을 발휘하면 반드시 중앙에서 불러들일 거다. 그렇게 되면 수많은 공에게 아란의 미래를 맡길 수 있다. 몸도 마음도 만족시켜줄 연인을 찾아줘. 물론 가장 추천하는 사람은 절친 크르트다!

금발에 푸른 눈을 가진 아란과, 흑표범처럼 부드러운 흑발에 푸른 눈동자를 가진 크르트 님은 정말이지 한 폭의 그림이었다.

과묵한 크르트 님이 아란 앞에서만은 살얼음이 녹는 것 같은 미소를 짓던 애니메이션 장면은 정말이지……! 특별할 것 없는 마법학교의 한 장면인데도 모두가 신이 강림했다고 입을 모았던 명장면으로 바뀌었다!

아아, 그 명장면을 보고 싶다!

바로 앞에서, 다 밀치고 가장 앞자리에서 보고 싶다!

어째서 엘로즈 역할인 거야. 왜 하필이면 흑장미냐고……!

빌어먹을. 이렇게 된 이상, 돼지 아비 무리의 부정을 폭로하고 완전히 인연을 끊고 뒤탈이 없는 누님이 되자! 흑장미에게도 분명 신은 있다.

나쁜 결말을 피하기 위해서 기도할 거다!

절대로 천공 감옥에는 가고 싶지 않아……!

천공의 성을 동경하는 건 전생으로 충분해!

나에게 파○는 없다.

배드 엔딩을 피하기 위해서 아란을 단련시켜서 왕도로 보내겠어!

……라고, 새롭게 결의를 다진 순간 노크 소리가 울렸다. 입실을 허가하자 할아범과 낯선 시녀가 아침 차 세트를 실은 왜건을 밀면서 들어왔다.

평소처럼 할아범이 익숙한 손놀림으로 차를 내주었다.

한 모금 마신 뒤, 따끈한 기분으로 마음이 누그러졌을 때였다.

"아가씨. 오늘부터 아가씨의 전속 시녀가 될 아이를 소개하겠습니다. 인사드리거라. 릴렌."

"리, 릴렌이라고 합니다. 아가씨를 성심성의껏 모실 것입니다."

무심코 찻잔을 놓칠 뻔해 황급히 손으로 받쳤다.

그래. 오늘 아침에 꾼 꿈은 맞는 꿈이었군. 하지만 미동조차 없는 철가면, 땡큐.

"……릴……딜바, 자작가의?"

"앗, 네. 예법 견습생으로 이 저택에서 일하게 되었습니다. 릴이라고 불러주세요, 아가씨."

무심코 머리를 감싸 안은 날 비난하진 마시라.

"아, 아가씨?"

"아, 아무것도 아냐. 조금…… 그래, 조금 놀란 것뿐이야."

'웃기지 마. 왜 지금인 거야?'

소설에서 돼지 아비에게 순결을 빼앗긴 뒤 변태 거상 돼지 2호에게 팔려간 소녀가 눈앞에 서 있었다.

***

날이 저물어감에 따라 어둑해지기 시작한 실내는 긴장감으로 가득 차 있었다.

"아란, 처음부터 다시 한 번."

"네, 누님. 모두들 안녕 아침이에요 아침 안녕하세요 태양이 안녕 인사하네요 붉은 꽃 푸른 꽃 노란 꽃 모두 예쁘네요 다 함께 즐겁게 노래합시다 태양이 따듯하게 비춰주네요 씩씩하게 노래하고 놀았더니 밤이네요 밤이네요 집으로 돌아갑시다 내일도 즐거운 하루이기를."

"아란, 그 부분은 좀 더 경쾌하게."

"네. 『내일도 즐거운 하루이기를』."

탁. 나는 손바닥에 지시봉을 붙이며 눈을 감았다.

"아직 발음이 나쁜 부분이 있네. 하지만 좋아. 아란, 인사해."

"앗, 네. 엘로즈 누님. 수고하셨습니다."

"그래. 내일도 열심히 하는 거야."

"네!"

내 목소리를 들은 아란이 어깨의 짐을 내린 밝은 표정을 지으며 웃었다.

'옳지. 침착하자. 침착해. 덮치면 안 돼.'

새침한 얼굴을 의식하면서 아란의 표정을 머릿속에 새기기 위해 똑바로 응시했다.

천사 같은 미소가 눈부셨다. 하마터면 코피가 터질 뻔했다. 자중, 자중.

엘로즈는 미니멈 사이즈라도 꽃송이가 큰 장미니까 어떤 일이 있어도 코피를 뿜는 건 안 된다. 독에 물들기 전인 지금이라면 우아하고 아름답게 굴어도 이상하지 않다!

괜찮다. 지금까지도 무의식적으로 해왔으니까! 식은 죽 먹기다. 하하하!

"……."

아, 이런. 다리에 쥐났다.

어째서 이런 아무것도 아닌 포즈 주제에 이상한 근육을 사용하는 거야?

우아함으로 기합을 넣고 아란에게서 시선을 돌려, 방 한구석에서 벽과 한 몸이 되어 있는 시녀를 재촉해 차를 준비하게 했다.

의자에 사뿐히 앉아 아란에게도 앉으라고 권했다.

"목이 말랐을 거야. 자, 마셔."

"네, 누님. 잘 마실게요."

의자가 너무 높아서 낑낑대며 올라가는 모습, 심쿵!

컵을 잡고 후우후우 부는 아란, 심쿵!

첫 작법 수업 때 철저히 가르친 대로 다소곳이 모은 무릎을 볼 수 없는 게 원망스러워!

분홍 무릎을 떠올리고 머릿속은 하악하악 상태였지만, 얼굴은 철가면으로 미소녀를 가장했다. 하지만 콧구멍이 따갑다. 크흡. 안 돼. 너무 귀엽잖아.

기분 전환을 위해 옆에서 대기하고 있는 할아범을 눈짓으로 불러 양친의 동향을 살피기로 했다.

"할아범. 아버지는 오늘 밤 나와 식사해주실까?"

"어젯밤부터 외출 중이십니다. 돌아오시지 않으면 마님과 아가씨 먼저 드시라고 하셨습니다."

내뺐군.

"그래. 아쉽네. 어머니는 함께 해주실까?"

"마님은 현재 후원 활동을 하고 계십니다. 음유시인이 첫선을 보이는 자리에 참석하신다고 하십니다."

"그래. 그럼 아란과 나 둘뿐이네?"

마음껏 봐야지!

"아뇨. 아란 님과의 동석은 마님께서 절대로 안 된다고 하셨습니다."

그렇겠지. 그 돼지 커플이 할 만한 말이다.

살짝 시선을 떨구고 천천히 숫자를 세었다.

열 살의 귀여운 미소녀처럼 보이는 거다. 할 수 있어. 반드시.

설령 지금까지 자각이 없었던 내가 돼지 씨가 없어? 어머 럭키라는 듯이 그대로 방 안에 틀어박혀 있었다고 해도 앞으로는 다르다. 새로운 미래를 위해서 지금 할 수 있는 모든 걸 하는 거야, 엘로즈!

그 양친과 헤어지고 제대로 된 결말을 맞이하기 위해서!

"할아범. 어제도 말했다시피 아란은 저와 같은 대우를 받아요. 아버지의 자식인 것은 명백하고 무엇보다 이 색깔. 후작가에 시집을 간 몇 대 전의 왕족의 피가 흐르는 듯해요. 희귀한 마법적 소양을 품고 있다는 증거가 아닐까요? 언젠가 할아버지께서도 접촉해오실 거예요. 그런데 후작가 자손으로서의 교육도 교양도 배우지 않은 상태라면 어떻게 될까요. 앞으로는 식사도 공부도 아란과 함께 하겠어요. 명심하세요. 특히 이 건에 관한 한 어머니의 의견은 듣지 않겠어요. 아시겠죠? 할아범?"

"그렇게 하겠습니다. 아가씨."

―왕가의 능력자에게 많이 나타난 투명한 금발과 깊고 푸른 눈동자 색은 고귀한 색으로 칭송받았다.

그 색을 가진 자는 희귀한 마법적 소양을 발현시켰다. 공격 마법에 뛰어난 자, 방어 마법에 뛰어난 자, 정화 마법에 뛰어난 자, 정령 마법에 뛰어난 자, 치유 마법에 뛰어난 자 등 여러 분야에서 특출한 재능을 보였다.

특히 공격 마법의 명수는 그 강함이 일개 대대와 맞먹을 정도였다고 한다.

그래서 한때 그 피를 남기기 위해서 혈족혼이 되풀이되었을 정도다.

결과적으로는 쇠퇴에 박차를 가한 것일 뿐이었다고, 소설에서 설명으로 나왔다.

그런 시대를 거쳐 채택된 정책이 피를 섞는 것. 왕족 여성을 국가의 중진에게 시집보내는 것이다. 미담이라고 생각해? 틀렸어. 반복되온 혈족혼 탓에 미모만 발전된 미치광이가 들판에 풀려나온 거야. 알 만하지?

피로 피를 씻는 정권 교대를 거쳐 왕좌에 앉은 사람이 그 당시 비교적 제대로 된 교육을 받은 아가씨를 신부를 맞은 엘로즈의 할아버지였다.

그 무렵 왕족은 얼마 남지 않았고 할아버지의 자식은 아들 하나에 딸 하나였다. 아들은 왕족의 피가 외모에 나타났지만 딸…… 그러니까 엘로즈의 어머니에게는 나타나지 않았다.

그 어머니가 낳은 나는 상당히 연하긴 하지만 한없이 고귀한 색을 가지고 있었다. 그래서 소소하게나마 마법 소양도 있었다.

지금 돌이켜 생각하면 엘로즈 세 살 무렵엔 콧대가 하늘을 찔렀었다.

주위에선 금이야 옥이야 하고 장래 유망한 아가씨라고 추켜세우니 어라 나 좀 대단한 사람인가? 생각한 적도 있다. 그래, 인정한다!

엘로즈의 양친도 기세가 등등했다. 바보인 걸 증명하듯 왕위 계승권이 저절로 굴러들어온다고 생각했던 모양이다. 추종하는 미련한 귀족은 끊이지 않았다.

어머니도 멍청하지만 함께 춤춘 아버지도 멍청이다.

멍청이들. 백부님 밑에 금발에 고귀한 색채를 가진 이상적인 왕자님이 태어나면서 꿈은 꿈으로 그쳤지만!

태어난 왕자님은 왕가의 색채를 완벽히 물려받은 것은 물론 능력 면에서도 역대 현왕에 필적할 정도의 마력량을 지니고 있었다. 그럼에도 적자. 어머니는 쓸데없는 노력을 하신 모양이다. 암살이나 독살이나 교살 같은 거. 멍청이다.

그 아비규환의 나날을 생각하면 눈물이 앞을 가린다. 내 부모의 끝 모를 무식함에. 뭐 덕분에 「내가」 각성했지만.

왕자와의 마력 차이를 깨닫고 스스로 순순히 패배를 인정했더니 돼지 커플은 나를 쓸모없는 등신 팔푼이 취급하더니 방치했다. 그 후 내 존재는 그들에게서 완전히 지워졌다. 끼니는 고사하고 주위에서 떠받들던 인간들도 죄다 사라졌다.

그 왕자 전하는 지금 일곱 살. 무려 아란의 상대 후보 중 하나다. 방어 마술에 뛰어난 분으로 까놓고 말해 어머니의 암살이 미수에 그친 것은 왕자의 잠재 능력 때문이다.

두둥. 그리고 아란도 후세에 길이 남을 능력자였다!

공격 마법에 뛰어난 아란은 역시 주인공었다.

마법 소양이 꽃피면 이웃나라의 침공을 막고 파트너와 꽁냥꽁냥!

국왕 폐하의 목숨을 구하고 각종 꽃미남과 꽁냥꽁냥.

부패한 귀족 계급에 숨구멍을 뚫고 친한 벗 크르트에게 순결을 바치며 꽁냥꽁냥. 악행을 폭로하고 엘로즈를 체념시키고……. 으,

으아앙! 싫어! 천공 감옥만은 싫어! 어째서 엘로즈는 조금이나마 마법 소양도 갖췄으면서 후작가에 틀어박혀 모략만 꾸며댔던 거야!

크르트 님과 아란의 러브러브를 볼 수 있는 엄청난 위치에 있으면서 어째서 나쁜 길로 가느냐고!

성장한 금발의 고귀한 사촌 동생 왕자 — 완전 S — 는 말로 흥분시키는 요원이라거나 물빛 머리카락, 물빛 눈동자를 가진 완전 S 치유술사와 위험한 의사놀이라거나 복숭앗빛 에로 담당 색기 충만 불 마법사와 어른의 불놀이라거나 엘프 현자는 밤의 제왕으로 사실은 에로 엘프라거나 연상의 여성 근위 기사와의 여장놀이로 정조 위기일발이라거나! 아, 소설이 아니라 동인지 세계다! 그중에서 역시 가장 추천하는 건 친구인 크르트 님이지만!

앞으로 아란을 교육시켜서 왕립 학교에 입학시킬 예정이지만 나도 같이 따라가고 싶다.

그래서 누나의 위치에서 아란의 하렘을 눈에 새기는 거다.

학교에 들어가는 게 아란이 열세 살 때였나?

그렇다면 나는 열여덟 살인가.

몰락은 그 2년 후였고, 하아아아, 무리인가. 기술을 배우는 게 먼저일까. 절대로 적이 될 마음도 방해할 마음도 없지만 그 돼지 커플이 일을 저지를 걸 알고 있는 것만으로도 막지 않으면 뒤끝이 개운치 않다.

증거를 잡아서 빠져나갈 수 없게 만드는 동시에 내 앞길도 모색해야 한다.

"아가씨. 아란 님. 식사 준비가 다 됐어요."

짙은 감색 시녀복을 입은 릴렌이 긴장한 표정으로 우리를 불렀다.

"고마워. 릴렌. 아란, 어서 오렴. 식사 예절을 가르쳐줄게."

"네, 누님!"

"어디에 (시집) 보내든 부끄럽지 않도록 엄하게 가르칠 거야."

"잘 부탁드립니다."

으음. 숙녀 교육은 제대로 받았고 합격점도 받았으니 영애의 가정교사라면 가능할까.

릴렌이 서툰 솜씨로 시중드는 모습을 보면서 앞길을 모색했다.

내 현재 능력은 열 살치고는 상당히 높았다.

수업은 가정교사 선생님의 권유도 있어서 귀족 자녀와 동급의 교육을 받고 있다.

어릴 때 측정된 마법 소양은 극히 미비하여 공격 방면에도 방어 방면에도 특성은 없었다.

그런 엘로즈가 소설에서 가장 뛰어난 재능을 보인 것은 자수였다.

그중에서도 자수 실에 마력을 불어넣은 그것은 일급 공예품이며 주술이었다.

특수한 자수를 바탕으로 상대에게 저주를 걸고 치밀한 구도로 숨겨진 악의의 실이 상대를 꼼짝 못하게 옭아맸다.

소설 설정으로는 이것도 어엿한 특화 마법이었지만 그 힘이 너무 약해서 누구도 거들떠보지 않았다. 마법 소양이 강한 자나 높은 자에게는 효과가 없었기 때문이다.

하지만 이것은 의외로 중요한 설정이었다. 왜냐하면 소설에서 친한 벗인 크르트를 움직이지 못하게 한 건 이 자수가 놓인 팔찌였으니까.

소설에서 엘로즈는 군부대에 위문을 가기 전에 선물로 다양한 물건을 만들었다. 어느 것이든 하나만 몸에 지니게 하면 된다는 마음으로 하늘에 운명을 맡기고 가지고 갔던 악의다.

아마도 크르트 님은 그 팔찌가 엘로즈의 솜씨인 줄은 몰랐을 거다.

우연히 마음에 들어 우연히 신께 소원을 빌 때 쓰고 말았다.

「좋아하는 사람과 맺어질 거야」라니, 소녀 감성의 크르트 님.

아란을 좋아하면서 무뚝뚝하다 싶을 정도로 말하지 못하는 크르트 님.

동료를, 나라를 지키기 위해서 공격 마법에 맞서고 적진의 틈새를 뚫고 들어가서는 전국을 쥐락펴락했던 크르트 님.

사촌 동생 전하가 걸릴 터였던 주술을, 전하를 감싸고 대신 걸린 크르트 님.

최악의 순간에 몸이 굳어버리고 그 기회를 틈탄 악녀에게 동정을 빼앗기고 울었었던가…….

"아란, 잘 배워서 하루 빨리 소중한 사람을 지켜낼 수 있도록 해."

무슨 일이 있어도 크르트 님의 동정을 악녀에게 빼앗기는 상황만은 피해.

나도 품행 방정한 장미 아가씨가 되도록 노력할 테니까!

그러니 일단은 그 시작으로…….

"릴렌. 홍차는 적절한 온도 관리가 필요해. 아란, 너도 잘 알아 둬. 학교에 입학하더라도 처음에는 시중꾼 위치라 상급생의 시중을 들어야 하니까. 모든 생활을 공부라고 생각해. 릴렌, 오늘은 내가 시범을 보일게. 이쪽에 앉아."

가난뱅이 영애 릴렌을 귀부인으로 길러 왕궁에서도 통용되는 귀족 시녀로 만들겠어. 잘 되면 숙녀 교육의 본보기로…… 아니, 무리야. 완전 무리.

어느 부모가 먹음직한 아기 토끼를 응큼한 돼지 소굴에 맡기겠는가.

그 돼지를 하루 빨리 거세해서 내쫓지 않으면 내 밝은 미래에 먹구름이 낀다!

***

안녕하세요, 여러분.

갑작스럽지만 저 엘로즈는 열세 살이 되었습니다.

나의 천사 아란은 여덟 살입니다.

매일 열심히 신부 수업을 받고 있습니다. 아란이 말입니다.

몸단장을 하고 식당에 들어서면 얼굴 가득 미소를 띤 아란의 모습에 치유받습니다.

매번 새로운 것을 발견하며 행복감에 젖는 매일입니다.

그로부터 3년이 흘렀군요…….

저도 마음속의 감정을 억누르는 일에 익숙해졌습니다.

결코 아란을 보고 흥분하지 않습니다. 내색도 하지 않습니다.

제가 아란에게 교육한 것은 읽기, 쓰기, 산수와 귀족 자제에게 필수인 기초 단련, 승마, 검술, 봉술에 이르기까지 다양합니다. 또한 심미안을 기르기 위한 회화, 공예, 그리고 사회적 시스템을 가르치기 위한 농지 개혁, 경영 철학, 경제 진리, 관개 산업 등의 견학과 동시에 요리, 세탁, 재봉, 청소의 비법을 가르쳤습니다.

너무 몰아붙이는 게 아닌가라는 생각도 들었지만 천사 같은 외모에 어울릴 만한 능력 좋은 남자를 붙잡기 위해서는 두뇌, 체술, 요리 솜씨가 중요하므로 마음을 독하게 먹고 도전했습니다.

다행히 재미있게 배우고 있어서 기쁠 따름입니다.

물론 언젠가 닥쳐올 마법 소양의 발현에도 견딜 수 있도록 기초 체력 향상에 힘쓰면서 그날을 기다리고 있지만 아란의 마력이 발현될 징조가 조금도 보이지 않습니다.

……알고 있습니다. 그 계기가 저의 괴롭힘이라는 것은요.

그래서 몇 번인가 괴롭혀 보려고 저는 노력했습니다.

냉정하게 뿌리치기로 마음먹고 "아란! 이런 것도 못하니?"라고 차갑게 말했더니 아란, 눈물을 참으면서 될 때까지 달려드는 게 아니겠어요?

필사적으로 물고 늘어지는 아란, 완전 귀여워!

눈물이 그렁해서 한 번만 더 부탁합니다! 라고 애원하는 아란, 하아하아!

무심코 “내가 있는 곳까지 기어 올라와!”라며 나비 부인[#1]이 되고 말았습니다.

충격을 줘서 정신적으로 몰아붙인다는 것이 완전히 스포츠 만화물이…….

아아…… 아란, 어쩜 그렇게 귀엽니. 누나를 괴로움에 몸부림치다 죽게 만들 셈이니. 무자비한 녀석.

쿨럭. 음, 소설에서 엘로즈에게 집요하게 정신적 충격을 받은 아란을 치유해준 건 똑같이 학대받던 릴렌이었습니다.

하지만 여기서 한 가지 문제가.

저와 아란의 남매 사이는 딱히 나쁘지 않습니다.

그리고 아란과 릴렌도 딱히 사이가 좋지 않습니다.

나이 차이가 나는 것이 안 좋았을까요. 소설에서는 릴렌이 열세 살, 아란이 열두 살이었지만 지금 릴렌은 열세 살, 아란은 여덟 살입니다. 서로 연모하는 연인이라는 느낌이 들지 않습니다. 잘해봐야 남매입니다.

그리고 소설과의 차이점을 말하자면 돼지 커플의 부정에 관한 사항입니다.

여기에 악행을 아는 자가 있습니다. 네, 접니다.

아버지와 관련된 불법적인 인신매매 자료와 어머니가 관련된 약물 매매에 대해서 조금씩이지만 증거를 수집 중입니다.

제 전생의 쓸데없는 지식은 건재하여 연대나 시기를 대조해 경매

#1 나비 부인(お蝶夫人) 「에이스를 노려라」라는 일본 테니스 만화의 등장인물.

에 보내져 팔릴 운명의 사람들을 은밀히 풀어주었습니다.

돼지가 만든 증서는『빚 변제 기일 엄수, 이를 위반할 경우 집, 땅, 처자를 인도한다』같은 깨알 같은 글자가 불에 쬐어야 나타나는 종이이거나 서명한 후에 추가된 말이 있는 부정한 것들뿐이라서 법정에 서면 죄인이 될 것이 명백합니다. 넌지시 그 부분을 지적하자 노예상은 대부분 헌병대에 잡히기 전에 상품을 풀어주었습니다.

하지만 악행을 안다고는 해도 전부라고는 말할 수 없고, 저는 공공연히 움직일 수는 없었습니다. 사람을 유도해 우연히 그곳에 있게끔 꾸미는 등 머리를 써야 했습니다.

아란에게 영지 경영술을 가르친다고 속이고「때마침」「우연히」노예 매매 현장에 들러 백지 철회하도록 중재하거나 기부했던 후작가 연고의 고아원(인신매매의 온상)에 잡혀간 아이들을 빼내기 위해서 헌병에게 눈물로 호소했지만 유감스럽게도 건수가 너무 많았습니다.

아버지의 눈이 걱정되고 어머니의 눈도 무서웠습니다. 이 이상 개입하는 것은 저도 어렵다고 느끼고 몇 개월 전 조심스럽게 할아범에게 상담을 요청했습니다. 할아범은 언제나 부모님이 시키는 일을 묵묵히 해왔습니다. 거기에 의견은 없었던 모양입니다. 그저 주어진 일을 묵묵히 처리하는 업무의 달인이었습니다.

어쩌면 돼지가 확인할지도 몰랐기에 도박이었습니다.

"할아범, 할아범은 이대로 괜찮다고 생각해?"

"저는 주인을 위해 일할 뿐입니다."

"할아범, 주인이라도 나쁜 일에 대해서는 간언을 해야 해."

"그걸 결정하는 것은 제가 아니라 『주인님』입니다. 아니면 아가씨가 저에게 주인의 자질을 보여주시겠습니까?"

"……할아범은 나와 아란을 아버지와 어머니에게서 멀리 떼어 놔줬어. 나와 아란이 배우는 것도 단련하는 것도 아버지와 어머니에게 비밀로 해주고. 가정교사 선생님도 구해줬어. ……있잖아, 할아범. 할아범의 『주인님』은 할아버지 아니야?"

그러자 할아범은 내가 난생처음 보는 밝은 미소를 보여주었습니다.

그 후 머지않아 왕명으로 빚을 대신 인수하는 업자가 공포되고, 직업 알선의 장을 서민에게 널리 알려주었습니다.

그 후 황송해하는 할아범에게 주종의 맹세를 받을 수 있었습니다.

할아범은 어머니가 시집갈 때 할아버지가 함께 보낸 왕가 직속 후작가의 감시자였던 겁니다.

"아가씨. 주인어른과 마님께는 비밀입니다."

이럴 때 귀엽고 다기찬 외모의 미소녀가 편리하다는 것을 절실히 느꼈습니다.

어쨌든 강력한 아군을 손에 넣어 돼지의 부정을 폭로하는 것도 조금은 수월해졌습니다.

얼마 전에는 대규모 약물 매매 현장에서 아란과 둘이서 헌병을 꾀어내 만났습니다. 그런 순간에 옛날의 쓸데없는 지식이 떠올랐습니다.

사실 시정의 헌병대에 소속된 일개 병사는 훗날 근위대장이 될 분입니다. 주요 인물 중 한 명으로 복숭앗빛 에로스 담당 불 공격 마법의 명수이지만 이때는 문을 지키는 그저 일개 병사였습니다. 기억대로 문에 달라붙어 있던 훗날의 근위대장, 복숭앗빛 대원을 아란이 훌륭하게 유도해 대대적인 범인 체포에 성공했습니다.

더욱이 쓸데없는 지식은 약물 매매에 관련된 거물을 소상히 알려줬기에 첩의 집에 있던 그 인물에게 접근해 증거도 잡았습니다. 보물이 가득했습니다.

어머니의 매매 계약서나 빚 변제 지연에 대한 사과장을 찾아내 살짝 흥분했습니다.

내용은 실로 진절머리 나는 것이었습니다. 이 남자는 로리콘이었습니다. 퉷퉷.

……그건 그렇고 아란과 길이 엇갈리기도 했습니다.

아무래도 아란은 내가 이 로리콘에게 납치됐다고 믿었는지 예의 그 복숭앗빛 대원과 공동 작전을 펼쳐 약물 매매 조직을 괴멸로 몰아넣었습니다. 아아, 그 둘의 조합도 꽤 좋아했었는데……. 쿨럭.

"누님! 괜찮아요?"

"아란. 나는 괜찮아."

"아가씨, 괜찮아?"

"어머나, 헌병 분까지."

그들과 헤어진 건 불과 세 시간 정도 전이었습니다. 그 사이에 나를 찾아 동분서주한 거겠죠. 아란의 금발은 땀으로 흠뻑 젖어 있었습니다. 뒤이어 나타난 미남도 소설의 초연했던 성격과는 어울리지 않을 정도로 초조한 모습이었습니다.

……아무래도 걱정을 끼친 모양입니다.

"누……!"

아란이 입을 다물지 못했습니다.

나도 진저리가 났습니다. 이 로리콘은 엄청난 로리콘이었던 모양으로 미소녀에게 얇은 옷을 입히고 우리 안에 가둬놓고 귀여워하는 것이 취미였던 모양입니다.

아무리 그래도 몇 명이나 되는 소녀를 우리 안에 가두다니. 그것도 얇은 옷을 입혀서 요정놀이라니 얼마나 변태인 거야.

로리콘 귀족은 더욱이 위법 약물을 사용해서 소녀들을 구속해왔던 모양으로 우리 안에 오래 갇혀 있던 소녀일수록 생기가 없었습니다. 그래서 나는 소녀들에게 정화된 물로 끓인 차를 마시게 하고 정화의 주술을 건 팔찌를 끼워주었습니다.

아, 여러분. 이음매가 저절로 끊어질 때까지 빼면 안 돼요.

"헌병님. 이것이 여자를 매입한 서류이고 이것이 제 어머니의 빚 증서예요. 빚 변제 수단으로 제 신병을 인도한다고 되어 있어요. 엄연한 인신매매예요."

날치기…… 아니, 슬쩍…… 호호호호, 어느새 빚 증서 다발이 손 안에 들어와 있었기에 복숭앗빛 대원에게 건네주었습니다.

이번 건은 너무 일이 커져버려서 아버지도 쉽게 수습하지 못해 초조한 모양이었습니다.

어머니는 어떤 죄를 추궁당할까 전전긍긍했습니다. 아버지는 어머니와의 이혼을 생각하기 시작한 모양입니다.
「전」이라고는 해도 왕녀와의 이혼은 어려운지 매일 왕궁을 뻔질나게 드나들고 있습니다.
……괜찮아요, 아버지.
지금까지 행해진 인신매매 거래 현장에서 훌륭하게 교란 작전을 펼쳐 아버지의 셔츠 단추와 아버지의 이니셜이 새겨진 행커치프, 아버지가 사용했던 만년필과 입었던 속옷을 현장에 슬쩍 흘려두고 왔으니까요.
헌병님이 반드시 찾아내 온갖 방법을 총동원해서라도 주인을 찾아내주실 거예요.
어머니에게 소환 명령이 떨어지면 분명 아버지의 이름도 함께 올라 있을 거예요.
아, 참. 어쨌든 나는 아란이 생각했던 것만큼 위험한 상황이 아니었지만 아란은 웬일인지 공격 마법을 발동시키는 데 성공했다.
소설의 아란과 마찬가지로 금속까지 자르는 바람의 칼날로 굉장한 능력이었다.
소녀를 우리에 가두고 감상했던 로리콘 귀족이 주요 피해자로, 그 녀석의 화려한 옷이 방 안의 물건들과 함께 모조리 가루가 되었다.
적진의 요새에 파고들어 증거 수집을 했던 것뿐인데 정신을 차려보니 어느새 저택에서 아란에게 안겨 있었다.
누님, 누님, 하고 어리광을 부리는 아란이 무척 귀여웠다.

***

……3년 전부터 나와 아란은 서쪽 변두리로 거처를 옮겨 살고 있었다.

돼지 커플은 본관에서 생활했기 때문에 우리와는 최근 들어서는 전혀 만나지 않았다. 마지막으로 대화를 나눈 게 언제인지조차 기억나지 않을 정도였다.

날뛰면서 잡혀가는 부모님의 모습을 어딘가 타인처럼 느낀 건 그 때문일까. 부모님은 아란에게 안겨 있는 나를 발견하고는 욕을 퍼부었다.

"용서하지 않겠다, 엘로즈! 너는 아비와 어미를 함정에 빠뜨리는 것이냐!"

"감히 내가 누군 줄 알고! 당장 이 손 놓지 못하겠느냐, 천한 것! 엘로즈! 엘로즈! 가문을 위해서 시집가는 건 귀족으로 태어난 이상 당연한 의무가 아닙니까! 이 어미가 정한 상대예요! 딸이라면 받아들여야죠!"

"……정말 후작가를 위해서라면 어떤 변태 귀족에게라도 시집가겠어요. 아버지, 어머니. 하지만 사실은 두 분의 욕망대로 소비된 빚 변제와 부정을 가리기 위한 눈속임이 아닌가요? 적어도 귀족, 왕가의 딸이라면 그 의무의 크기를 아시겠지요."

"이, 이 불효막심한 것!"

버럭버럭 호통을 치면서 헌병에게 강제로 연행되어 가는 부모님을 배웅했다.

—그렇다. 마침내 3년간의 노력이 결실을 맺어 아클라우스가의 악행이 백일하에 들어나고 돼지 커플이 체포된 것이다.

분명 저 두 사람이 없었다면 나는 태어나지 않았을 거고 아버지가 없었다면 아란도 태어나지 않았을 것이다.

동시에 내가 아무런 행동도 취하지 않고 바라만 보거나 소설처럼 부모와 함께 악행에 가담했다면 미래조차 바뀌었을 것이다.

골똘히 생각하면 분명 그들을 가엾게 여기는 마음도 눈곱만큼은 있었을지도 모른다. 가축에 대한 의무 같은 것이지만 분명 가슴이 아프다.

하지만 나는 돼지와 함께 추락할 마음은 없었다.

설령 후작가가 망한다고 해도 행복한 결말을 맞이하기 위해 계속 나아갈 것이다.

"아가씨."

"……각오는 진즉부터 되어 있어. 십 년, 나도 아무것도 모르고 혈육을 탐했어."

"아이가 할 수 있는 일은 적지요."

"하지만 이 입으로 들어간 건 그들을 팔아서 손에 넣은 거야. 이 몸을 장식한 건 독을 팔아서 얻은 거야."

할아범이 안타까운 표정으로 나를 바라봤지만 미소를 지었다.

"할아범, 모든 게 끝나면 내게 일자리를 찾아줄래? 할아범과 가정교사 선생님께 혹독하게 배웠으니 분명 내게도 할 수 있는 일이 있을 거야."

"아가씨!"

"하지만 아버지의 죄상을 생각하면 가정교사는 무리야. 어머니의 죄상을 생각하면 더부살이 가정부 자리도 얻긴 힘들겠지. 아란은 강한 마법적 소양을 꽃피웠으니 분명 학원에서 연락이 올 거야. 그 때쯤이면 이미 후작가는 없을 테니까 난 지금부터 일자리를 찾아야 해. 역시 시정 쪽이 일자리가 있을 것 같아. 고아원의 원장 선생님이나 문지기 헌병님을 통해서 연줄이 없는지 물어볼까 해."

무슨 일을 하면 살아갈 수 있을까.

요리, 세탁, 청소 스킬은 아란과 함께 배웠으니 어디든 갈 수 있다.

사실은 자수 솜씨로 먹고 살고 싶었다. 소설과 마찬가지로 현재의 나도 수를 놓는 일이 좋았다.

여러 가지 꽃이나 초목을 모티브로 한 자수는 귀족 영애가 놓은 것이라 그런지 비싸게 거래됐지만 그것은 과거의 이야기가 될 것이다.

완성한 것은 후작가 연고의 고아원에 기부해왔다. 증거를 확보하고 몰락 후에 몸을 의탁할 장소를 마련하기 위한 일시적이며 흑심 가득한 사귐이었지만 그런 사귐도 3년이면 인연도 생긴다.

그 인연으로 시정의 상인 집안이라면 가정부로 들어갈 수 있을까.

인신매매 조직의 괴멸 시기는 소설에서는 엘로즈가 19세 때로, 더 훗날이다. 게다가 아란의 공격 마법 발현 시기도 12세 때로 더 훗날일 터였다. 왕족 암살의 순간, 방어 마법을 행사하려 한 왕자 전하를 무력화시킨 것은 엘로즈의 집념의 실이었다. 아란이 튕겨내지 않는다면 현 국왕의 목숨은 위태로웠을 것이다. ……아버지와 어머니가 지금 망한 것처럼 그 사실도 없어진 걸까. 섬뜩함에 몸을 떨었다.

'괘, 괜찮아. 괜찮아.'

마법 발현과 함께 할아버지의 눈에 든 아란은 학교에 강제 입학될 것이다. 공격 마법은 그 정도로 위험하고 매력적이니까. 지금부터 단련하면 마법 소양의 개화도 빨라지고 공격 마법뿐만 아니라 다양한 방면으로 배울 수 있게 될 거다.

그에 비해 엘로즈의 마법은 실에 생각을 담는 것이 고작인 미약한 것으로 누구도 관심을 갖지 않았다. 더욱이 후작가의 몰락과 추악한 악행을 저지른 범인임이 밝혀져 수감된다.

하지만 여기 있는 엘로즈(나)는 악행에 가담하지 않고 해방을 추구했다.

이야, 상당히 빠른 전개다! 조금 더 시간을 들여서 친분을 다질 생각이었는데 움직이기 시작했더니 순식간이었다.

나는 지난 3년간을 돌이켜보면서 마음을 굳게 다지고 할아범을 바라봤다.

"어찌됐든 아버지가 일으킨 불상사로 인해 피해를 입으신 분들의 위자료를 마련해야 해. 할아범. 작위 반납과 영지 해방 소속, 그리고 귀족 연금 환급 수속을 해줘. 지금까지 우리 가문을 위해 애써 준 사람들에게도 퇴직금을 주고 싶어. 이후 일자리 희망은 헌병대에 부탁하고, 피해자들이 재산을 평등하게 나누도록 할아버지께 연락해서…… 아아, 부족하지 않을까. 역시 몸을 파는 것도 생각해야 할까……."

"안 됩니다, 아가씨!"

"……뭐, 돼지의 딸 따윌 사줄 사람은 없겠지."

자조 섞인 미소를 지으며 말하자 할아범이 험악한 얼굴로 바싹 다가섰다.

어째선지 쩔쩔매는 할아범을 곁눈으로 보며 후작가가 몰락할 때까지는 알고 지냈던 수도원에 몸을 의탁하자고 생각한 그때였다.

"그때는 내가 사!"

문을 열고 들어온 남자는 붉은 머리카락을 가진 복숭앗빛 에로스 대원이었다.

이 미남은 매번 만날 때마다 다른 타입의 소녀를 옆에 두는 남자이지만, 훗날 연적이 되는 공들과 아란을 두고 쟁탄전을 벌이는 남자로 변하니 세상은 알 수 없다. 지금은 여자를 밝히고 색기가 흘러넘치는 대원이지만 소년 모에에 눈뜨면 아란의 뒤꽁무니를 쫓아다닌다.

"아가씨, 아는 분이십니까?"

아, 좋지 않다.

"으응. 그 귀족에게 감금되어 있을 때 구해주신 헌병 분이셔. 그때는 신세가 많았어요. 비알 님. ……그럼 안녕히 가세요. 마음만으로 충분해요."

자자, 나가는 문은 저쪽이에요, 라고 재촉하자 복숭앗빛 대원이 당황해서 쩔쩔맸다.

"자, 잠깐! 말이 지나쳤어, 아가씨!"

"……차였군, 비알."

킥킥대면서 복숭앗빛 대원에 이어 들어온 소년을 보고 눈을 휘둥그렇게 떴다.

"윽."

마음속의 목소리가 튀어나오고 말았다. 위험하다.

"그건 입버릇이겠지? 사촌 누이."

크크큭, 소리 죽여 웃는 소년은 왕족 특징를 나타내는 완벽한 색채를 띠고 있었다.

소설의 주요 인물이자 서브 공. 엘로즈보다 세 살 연하의 사촌 남동생, 가일 전하다.

"……왕자 전하, 여전히 좋아 보이시는군요."

가일 전하가 이런 시기에 아클라우스가에 찾아온 건 예상 밖의 일이다.

"취미가 고약하시네요, 전하. 머지않아 몰락할 사촌 누이의 우는 얼굴을 보러 오신 건가요? 하지만 잘못 찾아오셨어요. 저는 오히려 시원한 심정이랍니다."

우아하고 아름답게 손끝까지 의식하면서 완벽한 숙녀의 예를 갖췄다. 상대는 S지만 긴장을 늦출 수 없다.

깊이 허리를 숙이고 다섯을 센 뒤 천천히 머리를 들었다.

등을 꼿꼿이 세우고 전하와 시선을 맞추고…… 메이데이! 메이데이! 이것아, 잠깐만! 날뛰는 내 심장아, 멈춰라! 아, 멈추면 죽잖아. 멈추지 마! 으아아아, 이 공기는 마셔야 해! 씁하 씁하!

"아…… 아란을 불러줘, 할아범."

한창 폼 잡고 싶을 나이의 시건방진 사촌의 뒤에 계신 분은 설마, 설마…….

크 르 트 님!!!

신이시여, 이건 그건가요.

임무 완료(미션 컴플리트)한 나에게 보내는 천국의 손짓인가요.

설마 같은 방에서 같은 공기를 마시게 될 줄이야. 생각지도 못했습니다.

크르트 님이에요. 크르트 님!

소설 일러스트 그대로예요. 저 섬세한 느낌이 최고예요. 색채는 애니메이션 그대로예요.

윤기가 흐르는 흑발에는 천사의 고리가 반짝이고 있어요. 긴 속눈썹에 감춰진 살짝 감은 푸른 눈동자가 이지적인 빛을 띠고 있어요.

쭉 뻗은 콧날도 턱 모양도 입술 모양도 마치 신이 빚어놓은 것 같아요.

부드러운 팔다리는 약동감이 넘쳐흐르고 온화한 마음에 채찍 같은 강인함을 숨기고 있어요.

늠름한 행동거지는 흡사 무사를 떠올리게 해요. 손끝, 발끝까지 신경이 뻗어 있음을 알 수 있어요.

아아……!

역시 왕도입니다! 크르트 × 아란 만세! 옆길로 빠질 뻔해서 죄송해요!

살아 있어서 다행이야!

악행에 손을 뻗지 않아서 다행이야!

흑장미로 태어나, 배드 엔딩을 피하기 위해 필사적으로 노력해온 저에게 주는 상인 거죠? 신이시여! 받들겠습니다. 오체투지라도, 성지순례라도, 마니차라도 돌리겠어요!

"엘로즈 누님. 찾으셨어요."

한창 크르트 님을 감상하고 있는데 아란이 할아범을 따라서 들어왔다. 깜빡거리는 이 눈이 원망스럽다.

매혹적인 투 샷을 볼 수 있을 거라고 생각했는데 사촌이 정말 성가시다.

아란과 크르트 님의 첫 만남인데 첫눈에 반하는 순간인데 예스 폴 인 러브의 순간인데 분위기를 고조시킬 만한 시추에이션이 너무 부족하다.

장미다! 장미가 없을까?! 눈으로 실내를 훑어봐도 지금의 몰락한 후작가에는 장미 한 송이조차 장식되어 있지 않았다. 아아, 온실의 장미는 호사가에게 팔아넘겼다.

할 수 없으니 꽃보라는 스스로의 정신력으로 망상했다.

—바람에 흩날리는 꽃잎 가운데 선 두 사람. 모든 소음이 잦아들고 들리는 건 자신의 심장소리뿐. 목소리를 듣고 싶어서 손을 뻗는다. 떨리는 입술. 포개지는 손. 눈을 깜빡이는 것조차 잊고 서로를 응시하는 두 사람.

머릿속에서 대사를 보충했다.

『사랑스러운 사람, 너의 이름은?』

옛날이냐! 하지만 그게 좋아!

머릿속으로 한참을 몸부림치고 전력으로 뒹굴뒹굴 구른 후에 현실로 돌아왔다.

"아란, 이리로 오렴."

"네."

아란을 데리고, 상석을 내어준 사촌 앞으로 나아갔다.

팔걸이 의자에 앉은 사촌 뒤에 크르트 님이 서 있었다.

존귀한 얼굴. 후광 때문에 빛이 나!

크르트 님이 너무 멋져서 숨 쉬는 게 괴로워!

"……아란, 전하께 인사드리렴. 전하, 제 이복 남동생 아란 그레이입니다. 이런 식으로 인사드리는 무례를 부디 용서하세요."

"처음 뵙습니다. 전하. 아란 그레이라고 합니다."

으으, 전하가 엄청 방해되지만 싫은 일은 빨리 끝내는 게 최선!

"허한다. 고개를 들라. 아란 그레이. 지금 여덟 살이라고 했었나? 나는 가일 도울블. 막 열 살이 됐어. 여기 칙칙한 녀석은 크르트 메이덴."

자 자, 아란을 실컷 귀여워해주라고.

그리고 완벽한 귀여움에 몸부림치라고!

하지만 아란의 옆자리는 크르트 님이라고!

아무리 사촌동생이라도 그건 허락 못 해!

아, 하지만 크르트 님을 포함한 여러 명이라면 허락해! 오히려 역하렘 총수 앙앙 축제로 부탁드려요!

"누님?"

놀란 눈으로 나를 올려다보는 아란의 얼굴을 보고 천천히 숫자를 세었다. 그리고 콧김을 봉인하고 청초함과 가련함을 의식하며 미소 지었다.

"……전하, 아란은 다섯 살 때부터 면학에 힘쓰고 단련을 게을리하지 않았으며 영지 경영에도 흥미를 갖고 정진해왔습니다. 그것은 오로지 부모님께 인정받고자 하는 어린 마음의 발로였습니다. 하지만 어머니는 끝까지 아란을 가족으로 인정하지 않으셨습니다. 아버지도 그런 어머니를 따라 아란의 존재를 무시하게 된 것입니다. 저는 이번 불상사로 인해 땅에 떨어진 후작가의, 그것도 부모님께 버림받았던 아란이 숨겨진 마법적 소양을 발현한 것이야말로 하늘의 응답이라고 느꼈습니다. 전하와는 피가 섞이지 않은 사촌이긴 하지만 아란의 외향은 왕족 특징이 있습니다. 틀림없이 몇 대 전 신하에게 시집간 왕족 선조가 있겠죠. 이 엘로즈, 3년을 아란과 동고동락해왔습니다. 아란은 큰 그릇이 될 인재입니다. 필시 왕국의 수호자가 될 것입니다. 하지만 아직은 병아리. 게다가 지켜줘야 할 어미

새는 그 임무를 방기했습니다."

—자, 엘로즈 마지막 임무야. 가슴을 펴!

"그런 이유로, 아클라우스가 현 당주 엘로즈 디아로즈 에멘탈 아클라우스는 아란 그레이를 아클라우스의 일원으로 보지 않으며, 일체의 관련이 없음을 선언합니다. 전하, 지금부터는 왕가에 아란의 후견을 부탁드립니다."

"누님!"

"말을 삼가세요. 전하의 앞입니다."

시선을 돌리지 않고 잘라 말하자 사촌이 눈썹을 찡그렸다.

"……그러니까, 아클라우스가가 저지른 모든 부정을 네가 짊어지겠다는 거야?"

"그렇습니다."

"엘로즈 누이, 아란은 처음부터 그렇게 할 생각이었어. 아란 그레이, 너는 왕가 소속이 되어 나를 옆에서 보좌하기 위해 앞으로 나와 같은 학원에서 단련하게 될 거야."

뭐야, 그런 거였어!

"……감사합니다. 전하."

안심이 돼서 헤벌쭉 웃고 말았다. 안 돼, 안 돼. 긴장을 늦추지 마.

소매를 잡아당겨져 바로 옆에서 여전히 무릎을 꿇고 있는 아란을 봤다. 걱정스럽게 올려다보는 아란, 귀여워! 으아, 콧구멍이 찡!

하지만 마음을 모질게 먹어야 한다.

"저기…… 이제 누나도 남동생도 아니야. 너와는 인연이 있어 함께 지냈지만 애당초 함께할 미래는 없었어. 아란 그레이. 강해져. 이 나라 구석구석까지 왕가의 위광이 닿도록."

소설과 달리 시기가 상당히 앞당겨졌지만 학원 생활편이 시작된다.

흑장미에 의해 갈고 닦인 아란의 귀여움에 기절할 주요 인물의 모습이 보이는 듯하다.

이 날을 위해서 단련해온 가사 능력으로 주요 인물들의 입맛을 확 사로잡는 거야, 아란! 누나는 불모의 사랑 편이니까!

아란의 눈부신 미래를 상상하고 있자 사촌이 나직이 중얼거렸다.

"정말 할아버지가 말한 대로였어."

"할아버지?"

할아버지가 무슨 말을 했어?

싫어. 겨우 악역 플래그를 피하게 돼서 안심했는데.

"할아버지는 네가 아란 그레이를 내쫓을 거라고 하셨어."

"당연해요. 아란을 위해 움직였던 예산 따위, 당주가 된 저에겐 한 푼도 없어요. 그렇게 무시당해온 아이를 이제 와서 가족으로 붙잡아둘 만큼 후안무치하지 않아요."

돼지 커플처럼 후안무치하다면 아란을 넘겨주는 대신 죄를 감경해달라고 했겠지만.

"왕족만이 가지는 능력을 발현한 전도유망하고 우수한 인재인데 넘겨주는 거야?"

"아란이 노력한 결과예요. 거기에 우리 가문의 공은 없어요. 하물며 개인의 노력에 집안이나 혈통이 무슨 관계가 있겠어요?"

"부채를 다 갚지 못하면 네가 어떻게 되는지 알고 말하는 거야?"

"알고 있어요."

마침 잘됐다며 영지를 빼앗으려는 친가 친척이나 존속을 외치는 친족을 입 다물게 하고, 외가의 혈통을 노리고 내게 접촉하려는 자들을 물리치는 간단한 일이 남아 있을 뿐이었다.

매일 아란의 잠든 얼굴에 치유받았지만 아란의 행복을 위해 눈물을 삼키겠어요!

"……아클라우스에 너밖에 없다는 건 알아."

이봐 계속 말꼬리 잡지 마!

"전하. 왕가가 아란을 보호해주기로 확약해주신 것만 해도 과분할 정도의 온정이에요. 저까지 신경 쓰실 필요 없어요. 폐하도 할아버지도 조용히 지켜보고 계세요, 그것이 왕가와 저의 올바른 거리예요. ……분명 핏줄로는 이어져 있지만 오히려 핏줄로 이어진 탓에 후작가는 오만했어요. 다시 똑같은 전철을 밟을 수는 없어요."

"그럼 너 혼자서 괴로워질 뿐이잖아."

좀처럼 볼 수 없는 사촌의 고뇌하는 얼굴에 눈썹을 찡그렸다.

아름다운 외모는 이득이야. 고뇌를 해도 욕을 해도 그림이 되니까.

뭔가를 더 말하려는 사촌을 눈빛으로 입 다물게 했다.

오오, 아직 흑장미의 위력은 건재한가 보다.

"얕보지 마세요. 저 엘로즈. 아클라우스가의 엘로즈예요. 인륜을 저버렸다고는 해도 친 부모님을 간계에 빠뜨려 옥에 가둔 악랄한 딸. ……이렇게 뒤처리를 할 수 있게 된 것만으로 충분해요."

동정은 필요 없어. 모에를 줘.

"너까지 자신을 그런 식으로 말하는 거냐."

"저잣거리에 나도는 소문을 모를 만큼 온실의 화초로 자라지 않았어요. 그런 소문 따위 콧방귀로 웃어넘길 거예요. 그러니 전하, 아란을 잘 부탁드려요."

나의 천사 아란이 성장하는 모습을 가까이에서 지켜보지 못하는 것만은 아쉽지만 그건 부녀자의 부녀자다운 상상력으로 망상할 테니 괜찮아!

"전하. 슬슬 가실 시간입니다."

꺄악! 덤보 귀가 돼버렸어!

크르트 님의 목소리에 속으로 히죽대고 있는데 크르트 님과 아란이 얼굴을 마주보고 대화하고 있는 것을 깨달았다.

여러분! 침을 흘릴 투 샷이에요.

"……그럼, 사흘 후 오후 세 시에 왕궁의 시종장에게로 가. 이 서류는 꼭 챙기고."

"누…… 에, 엘로즈 님은 아무 잘못도……."

"다들 알고 있어. 인정받고 싶으면 죽을 각오로 노력하는 수밖에 없어."

"제가 인정받고 싶었던 건……!"

"……알아."

뭐야, 뭐야? 목소리가 너무 작아서 잘 안 들려. 사촌동생을 너무 의식하고 있었나.

“전하. 폐하와 할아버지께 감사의 뜻을 전해주시겠어요? 무엇보다 전하께는 일부러 이렇게 와주신 점에 대해 다시 한 번 감사해요.”

“너는 자신의 가치를 너무 몰라.”

“뭐…… 충분히 알고 있어요.”

잠시 서로를 노려보다가.

사촌동생이 한숨을 쉬며 어깨에 힘을 뺐다.

이겼다!

“후작가가 정리되면 어쩔 생각이야?”

“시정으로 나갈 생각이에요.”

일단은 아는 수도원에 몸을 의탁할 예정이다.

그러기 위해서 지난 3년간 기부해왔으니 처음 한 달 정도라면 머물게 해줄 것이다. 그동안에 일자리와 방을 구할 생각이다.

헌병대 쪽에도 얼굴을 내밀어뒀으니 그쪽에도 도움을 청해봐야지.

얼굴을 팔아 신용을 사서 일자리를 얻을 거다. 그러기 위한 포석으로 지금까지 행동해왔지만 결코 세상을 만만하게 본 것은 아니다.

“네가 자주 기부했던 아트페 수도원 말이군.”

용케 아시는군.

살짝 의심하는 표정을 지은 것을 알았는지 사촌동생은 돌변해서 불손한 얼굴을 했다.

“엘로즈 누이. 네 속에 흐르는 피는 틀림없이 왕가의 피다. 긍지 높고 부정을 용납지 않으며 그러기 위해서는 책임을 대신 뒤집어쓰기도 하지.”

"호호호. 과대평가세요."

"……그 혈통은 관리되어야만 해."

"네?"

잠깐만, 이런 전개는 모른다고.

사촌동생이 나를 정면으로 바라봤다. 포식자의 눈빛으로 변해 있었다.

"전 국왕 폐하이신 할아버지와 현 국왕 폐하이신 아버지께서 말씀하셨다."

"……사, 삼가 듣겠습니다."

"금화가 열릴 나무인 걸 뻔히 알면서도 보물을 내놓는다면 그것에도 장래성이 있다."

그건 그건가. 어머니 말인가?

"그리고 실제로 너는 아란을 집에서 풀어줬어. 자, 충고는 이거야."

사촌동생은 고귀한 왕족 특징을 지닌 눈동자로 나를 꿰뚫었다.

다리가 후들거렸다. 정신 차려, 엘로즈.

"엘로즈. 국왕 폐하의 하명을 전한다. 삼가 받들도록. 왕족의 피를 이어받은 긍지 높은 아가씨여. 충신의 거울이여. 부모의 죄는 헤아릴 수 없이 크나 그 죄를 혼자 짊어지려 한 의지는 고귀한 것. 그것이야말로 왕가가 바라던 정당한 공주이다."

—잠깐만.

"아클라우스가를 청산한 후에 왕가가 붙여준 종자와 함께 별궁으로 들어오라. 그 후에는 왕가를 위해 그 몸을 바칠 것을 여기 이

자리에서 하명한다."

"패스."

그건 왕가의 말(駒) 취급인 거죠?

게다가 몸을 바치라니. 혹시 임신하는 배드 엔딩을 못 피한 거야?

나는 평온한 종언을 바랄뿐 여자로서의 영화 따위 바라지 않아요!

제 3 장 저는 그 플래그를 피하고 싶을 뿐이에요

임무는 분명 끝났을 텐데 배드 엔딩을 피하지 못한 건에 대해서 말하겠다.

역시 이 세계에는 귀부신(貴腐神)밖에 없는 건지도 모른다.

여자에게는 험난한 세계야, 라며 아득한 눈빛을 하고 말았다.

마음속의 초조함을 생글거리는 미소로 감추고 "패스? 패스라니 그건 무슨 뜻이지?"라며 의아해하는 사촌동생을 얼른 내쫓아버렸다.

사촌은 복숭앗빛 에로스 대원을 두고 갔다.

"지난번 체포 작전 때 네 남동생과 함께 꽤 좋은 활약을 펼쳤다던데. 문지기로 쓰기엔 아까운 인재야. 어디로 배속시킬지 정할 때까지 호위 대신 두고 가지."

"걱정 마세요. 아란이 있는걸요."

남은 사흘. 아란을 귀여워할 수 있는 시간이 단 사흘뿐인데 쓸데없는 공을 두고 가지 마.

두고 갈 거면 크르트 님으로 부탁해요!

그럼 두 사람의 미묘한 감정선을 음성 지원으로 송출해서 끙끙 앓을 수 있는데.

"마법 특성을 발휘했다고 해서 당장 할 수 있으리란 보장은 없어. 보험이다."

그 보험에 아란이 잡아먹히면 어쩔 거야!

즐겁게 돌아가는 사촌과 크르트 님의 뒷모습을 배웅했다.

손수건을 물고 이를 갈고 싶은 심정이었다.

진지하게 가출을 생각하는 게 좋을지도 몰랐다.

하지만 적도 만만치 않았다. 폐하가 소환장까지 준비했다면 가지 않을 수 없었다. 현재 진행형으로 몰락 루트를 주행 중인 아클라우스가지만, 아직 귀족 호적에 이름이 남아 있기에 번거로운 입궁 수속이 없는 것만으로도 다행이라며 스스로를 위로했다.

다소 자포자기한 기분으로 아침을 맞이하자 아란과 복숭앗빛 에로스 대원이 거실에서 수십 명의 남자들을 포박하고 할아범이 험악한 얼굴로 심문을 하고 있었다.

"……일어, 났어, 요……?"

"일어나셨어요. 누…… 엘로즈 님."

"아, 좋은 아침. 아가씨."

"이 사람들은 누구?"

"쓰레깁니다."

"……그, 그래."

어떡해. 할아범이 무서워.

필시 친척 놈들이 보낸 부하일 그들은 할아범의 냉기에 벌벌 떨면서 대답하는 착한 아이가 되어 있었다. 아클라우스 가문의 종말이 얼마 남지 않았기에 친척 녀석들도 초조했던 모양이다.

하지만.

"나를 죽여 봤자 그들이 아클라우스 가문을 이을 수 있을 리 없는데 어리석긴……."

포박당한 녀석들 앞에서 중얼거리자 복숭앗빛 에로스 대원의 입이 딱 벌어졌다.

"왜 그러죠?"

입을 벌린 채 얼빠진 표정으로 고개를 휙휙 저었지만 이상한 표정을 지어도 꽃미남은 꽃미남. 서브 공인 꽃미남 보정은 실로 강력했다.

그건 그렇고, 묶여서 나뒹굴고 있는 그들의 고용주는 친척이라고는 해도 오래 전에 갈라진, 곁가지 중의 곁가지인 하찮은 분가 패거리였다.

얼마나 하찮은가 하면 왕족 여성을 맞이하기 전에 당주가 손을 뻗었던 여성들의 핏줄일 만큼 하찮아요.

갈라짐에 따라 왕족의 피가 조금도 섞이지 않은 것이 명기된, 어떤 의미로 엄연한 평민 가계를 자랑하는 미가(迷家)였다.

원래라면 문지방이 너무 높아 본가에 들어올 수조차 없는 신분이지만 최근 당당히 아클라우스가에 찾아와 눌러앉으려 하고 있었다.

혹시 내가 여자이고 어리니까 우습게 보는 걸까.

……이 녀석들, 누가 당주인지 잊은 건가.

"엘로즈. 내 아들과 만나보지 않겠냐. 결혼 상대로는 딱 좋잖아?"

"네, 소문으로는 들었어요. 문관 등용 시험에 떨어진 후로 부모 연줄로 들어간 기사단에서는 훈련이 힘들어서 도망쳤다고. 벌써 집으로 돌아오셨어요?"

"큭."

"어머, 결혼 상대라면 내 아들이 있어. 엘로즈 너와도 얘기가 잘 통할 거야. 한번 만나보지 않으련?"

"아직 열세 살인 제 짝으로는 도저히 어울리지 않아요. 나이 차이가 너무 나서 아버지와 나란히 서면 전혀 분간이 안 가는걸요."

"으윽."

"흥, 자네들의 그 얼간이 같은 아들놈들을 왕가의 핏줄인 엘로즈의 짝으로 만들겠다고? 어리석은 꿈은 꾸는 게 아니야. 하지만 엘로즈가 후견인이 필요하다면 우리 집 장남이 적합하겠지."

"……분명 얼마 전에 또 하녀를 임신시키셨다죠? 축하드려요. 몇 번째 손자시죠?"

"큭."

"내 딸의 외아들은 어떨까!"

"전 적자와 약혼해서 결혼 적령기를 넘길 생각은 없답니다."

"그, 그래……."

나는 만지작거리고 있던 부채로 탁, 소리를 내며 한숨을 내쉬었다.

"할아범, 저분들께 아버지와 어머니의 죄상을 다시 한 번 알려드려."

"네, 아가씨. 하나, 부당한 인신매매에 의한 민심 불안을 부추기고 치안 유지에 반한 죄. 하나, 후작가 직속령에서 행해진 미성년자 약취 혐의. 하나, 부당 금리에 의한 사기 혐의. 하나, 그 매매 조직 지원과 은폐 가담. 하나, 불법 약물 매매 죄. 하나, 약물 판매 조직 지원과 은폐. 하나…… 왕족 직계인 아가씨를 빚 변제를 위해 팔아넘기려 획책하고 왕에게 여쭙지 않고 아가씨의 혼처를 결정한 죄. 더욱이 발뺌을 반복하고 왕족 직하 병사의 업무를 늘리고 그에 의해 왕가의 위신에 먹칠한 죄."

진땀을 흘리며 서로 눈짓을 주고받는 그들을 싸늘한 시선으로 응시했다.

천천히 입꼬리를 끌어올리고 흑장미의 위압감이 거실을 가득 채우기를 기다렸다.

"여러분, 잊으셨나요. 이 죄상을 듣고도 아직 존속이 가능하리라 생각하시나요?"

"우, 우리는 널 생각해서!"

"……그게 쓸데없는 일이라고 말씀드리는 거예요."

"뭐 뭐야? 가만히 듣고 있자니 이 불효막심한!"

격앙됐는지 한 명이 의자를 차고 일어났다.

재빨리 내 앞으로 나온 할아범과 옆에서 대기하던 복숭앗빛 에로스 대원이 눈빛으로 남자를 입 다물렸다.

할아범이 매서운 눈빛으로 그들을 응시했다.

"아클라우스가 현 당주이신 엘로즈 님을 훈계할 수 있는 입장이 아님에도 불구하고 훈계하려 들다니. 또한 주제넘게도 왕의 뜻을 여쭙지도 않고 왕족 직계인 아가씨를 자기 것으로 삼으려 한 것은 국왕을 얕보고 모반을 꾀한 것으로 봐도 무방할 것이오."

할아범의 말에 난처한 표정을 짓는 그들의 얼굴을 어쩐 일인지 복숭앗빛 에로스 대원이 뚫어져라 응시했다.

“복숭…… 비알 님, 왜 그러시죠?”

“응, 이 녀석들의 얼굴을 보고 깨달았어. 어젯밤 침입자 중에 당신들 자식이 섞여 있었던 것 같군? 붙잡혔을 때도 미래의 주인에게 무슨 짓이냐고 엄청나게 험악한 얼굴로 화를 냈었어.”

“……그러니까 저택에 무단 침입한 족속이 제 신랑감 후보였군요. ……세상도 말세예요.”

기가 막혀 중얼거리자 한 남자가 격노하며 달려들었다.

“이, 이 불효막심한! 부모를 간계에 빠뜨려 감옥에 보낸 무서운 것을 일부러 받아주려 한 우리의 배려를, 으악!”

남자가 마지막 말을 끝맺기 전에 아란이 남자를 발로 차 쓰러뜨리고 무릎으로 몸을 누르고 팔을 비틀어 꼼짝 못하게 했다.

“아란, 그만둬.”

“이 자식이 누님을 모욕했어!”

“놔줘. 네 손이 더러워지잖니. 네 손을 이런 어리석은 자들에게 써선 안 돼.”

우아하고 다부진 태도로 일어섰다. 쓱 훑어본 것만으로 친척들은 조용해졌다.

“아클라우스의 당주로서 말씀드리죠. 친척 어르신들. 이번 불상사는 원래 아버지와 어머니의 수감만으로 끝날 문제가 아니었어요. 이 아클라우스가의 재산 전부를 청산해도 다 갚을 수 없는 부채가 아직 남아 있어요. 원래는 일족 전체가 처형에 처해졌어야 해요.”

"무, 무—."

"마, 말도 안 돼. 그런 말은 못 들었어."

"어머, 무슨 말씀이신지. 어째서 여러분께 말씀드렸어야 하죠? 아무 상관없잖아요? 여러분은 분가이고, 아클라우스가의 진흥에 관여한 일 따위는 없겠죠. 그리고 그 죄상을 들어도 몰수당할 일이 없어진다고 좋아하실 분들인데 무슨 상담을 하나요? ……저는 목숨을 버릴 각오로 부모의 비밀을 폭로했어요. 제가 이렇게 살아남을 수 있었던 건 폐하의 온정 때문이 아니라 왕가가 열세 살 된 딸까지 처형했을 때 야기될 민심의 혼란을 염려해서일 뿐이에요."

그렇다. 단죄는 끝나지 않았다. 청산하지 못한 빚이 그대로 남아 있었다.

"시끄럽게 굴지 않았다면 조용히 살 수 있었을 텐데."

불쑥 중얼거린 나를, 친척들이 의아하게 쳐다보았다.

"아가씨는 정말 마음씨가 고운 분이십니다. 당신네들 같은 속물들의 앞날까지 걱정해주시니 말입니다. 욕심이란 정말로 무서운 거란 걸 깊이 깨달았습니다. 자, 아가씨. 물러나 계시지요."

할아범이 말을 건 순간, 기다렸다는 듯이 헌병들이 실내로 들이닥쳤다.

"뭐……뭐야, 네놈들은!"

"간밤에 저택에 침입한 남자들을 붙잡아 심문하자 당신들 집안 이름을 실토했습니다."

할아범이 엄중하게 알렸다.

“다양한 남자들이 있었지만 노리는 것은 하나였습니다. 이 집의 보석을 훔치러 온 겁니다. 잔인하게도, 다리 하나 정도는 눈감아줄 테니 데리고 오라며 돈이 가득 든 주머니와 함께 전한 모양으로 그 말을 들은『주인님』이 격노하시어…….”

평소에는 다정한 빛을 띠던 눈동자가 지금은 냉혹한 빛을 띠고 분가의 하이에나들을 주시하고 있었다.

“『주인님』께서는 말씀하셨습니다. ……본가의 앞으로의 방침에 참견할 만큼 본가의 정사에 정통한 분가라면 본가 당주 부부의 잘못을 눈치챘을 거라고. 열세 살 딸이 눈치챈 것을 다 큰 어른이 눈치채지 못할 리 없다고.

이번 비극은 중대한 만큼 희생도 많은 편이 민중들의 불만 해소에도 도움이 되겠지만 고발한 딸까지 연좌제로 죄를 묻는 것은 너무 가혹하다는 의견이 있었던 모양입니다. 그 의견에 힘을 보태듯 시정에서는 다들 한 목소리로 인륜을 어긴 부모를 막으려 한 딸을 구명하자는 탄원까지 하고 있으니까요. 그런 고로 전 당주 부부를 올바른 길로 인도할 수 있었을 터인 자에게 죄를 묻는 게 좋겠다고 하셨습니다.”

할아범의 눈동자가 햇빛을 받아 빛났다.

“후작가 해체에 이의가 있는 자야말로 부부와 연좌하여 옥에 가두어야 할 간교한 자. 모든 가산을 압류하여 부채를 변제하는 게 좋겠다고, 주인님께서 말씀하셨습니다.”

콰당! 의자를 박차고 일어서는 소리가 울렸다.

"나, 난 돌아가겠소! 난 이 집안과는 상관없소이다!"

"나, 나도 돌아가겠어요!"

서로 돌아가겠다고 아우성치는 하이에나들을 어안이 벙벙한 채로 배웅했다. 텅 비어버린 응접실에서 나는 비로소 정신을 차리고 옆에 서 있던 할아범을 올려다보았다.

"……할아범, 고마워."

"저는 감사 인사를 받을 만한 일은 하지 않았습니다. 그들도 앞날이 걸려 있으니 이 집안에는 관여할 수 없을 테지요."

"방금 한 말이 사실이야?"

"네. 그들의 앞날이 참으로 기대되는군요. 아가씨. 피곤하시지요? 따뜻한 차를 준비하겠습니다. 그리고 아란 님과 오붓하게 대화를 나누시지요."

할아범의 평소와 다름없는 모습에 비로소 마음이 놓였다.

"……그래. 아란. 이리 오렴."

"누…… 에, 엘로—."

"누님이면 돼. 아란."

"누니이임!"

아아, 이렇게 가까이에서 아란을 귀여워할 수 있는 날이 단 이틀 남았다니.

울며 웃는 아란을 마음껏 껴안았다.

사랑스런 아란, 나의 천사. 날개가 없는 것이 너무나 이상하구나.

"……할아범. 슬슬 마리아 선생님과 기림 선생님이 오실 시간 아니야?"

"그렇군요. 그럼 귀빈실에 찻상을 준비해드리겠습니다."

"다들 빨리 돌아가줘서 다행이야. 마지막 수업인데 주위가 시끄러우면 집중이 안 됐을 거야. 아란은 선생님들께 편지 썼니?"

"네! 썼어요!"

"그래. 편지를 가지고 오자."

드디어 가정교사 선생님들과도 작별인가. 내가 여섯 살 때부터니 이래저래 7년이 되는 건가.

마리아 선생님의 지옥 훈련으로 익힌 숙녀의 갑옷은 웬만해서는 벗겨지지 않는 내숭이다. 선생님의 행동을 따라하며 노래와 춤과 음악에 익숙해지고, 청소, 세탁, 재봉, 요리 등 다방면에 걸쳐 아란과 노력했다.

아란은 어디에 내놔도 부끄럽지 않은 훌륭한 신부가 됐다.

기림 선생님의 가르침은 친절하고 꼼꼼해서 이해하기 쉬웠다. 선생님이 가르쳐준 마법진의 구조도는 일단 너무 아름다워서 그대로 그림으로 장식해도 될 정도로, 그것을 모티브로 수를 놓은 행운의 팔찌를 만들었다.

일 년에 한 번 고아원이나 수도원 바자회에 출품한 팔찌와 부적, 쿠키는 서서히 인기를 얻어 지금은 상당한 명물로 자리 잡았다. 귀족 자녀라는 직함이 불을 붙인 거겠지.

그래서 작별 기념으로 수호의 팔찌를 만들자고 생각한 건 자연스러운 일이었다.

지금까지 배운 것을 모아 드리는 거라면 이것밖에 없다고 생각했다.

“선생님, 지금까지 지도해주셔서 감사했어요. 선생님들 덕분에 아란은 학원에서도 뒤처지지 않고 공부에 매진할 수 있을 거예요.”

공부보단 연애 중시지만!

“엘로즈, 너는 어쩔 생각이니?”

기림 선생님의 기분 좋은 목소리에 자연히 미소가 떠올랐다.

“내일 아란과 함께 일단 왕성에 갈 거예요. 일처리가 끝나면 일반 평민 신분이 되어 몸이 가루가 될 때까지 폐하께 봉사할 생각이에요.”

“로즈, 자신을 소중히 여기렴.”

마리아 선생님이 눈썹을 찡그리며 충고하셨다.

“제 가치는 잘 알고 있어요.”

“아니! 전혀 모르고 있어!”

감정이 격해졌는지 몸집이 큰 미녀가 열정적으로 포옹을 했다. 여성치고는 체격이 큰 그녀가 나를 끌어안자 어른과 어린이, 거목과 코알라다. 더욱이 마리아 선생님은 힘도 세서 그 어깨에 짓눌리니…… 등줄기가 뻐근했다.

“떨어져.”

기림 선생님이 다가와 마리아 선생님을 억지로 떼어놓았다.

……살았다. 하지만 더는 이런 시간이 없을 거라고 생각하니 조금 쓸쓸해졌다.

앞으로의 일에 대해서 이야기하다가 때때로 감정이 격해진 마리아 선생님이 과격한 포옹을 하면 기림 선생님이 억지로 떼어다 자기 무릎에 앉히고 그러면 그 무릎 위에서 차를 마시고 또 마리아 선생님이 탈환하는 평소와 다름없는 일이지만 즐겁게 지쳤다.

"이제 만날 수 없겠지만 부디 몸 건강히 지내세요."

"선생님, 이거 편지예요."

"저는 두 분께 이 팔찌를. 마리아 선생님께는 선생님처럼 큰 장미를 모티브로 항구 정화와 수호의 마법진을 새겼어요. 기림 선생님은 큰 나무를 떠올려서 정숙과 정화, 수호의 마법진을 새겼어요."

마리아 선생님은 깨끗한 걸 좋아하니 항구 정화의 마법진은 마음에 들어해줄 것이다. 나도 사용하고 있는데 팔에 끼고만 있어도 머리끝부터 발끝까지 정화되는 느낌이 들었다.

맨살의 쓸데없는 기름기까지 제거해주니 탈모 예방에 최적이요, 머리칼은 언제가 반질반질, 피부는 언제나 매끈매끈이다.

그리고 기림 선생님은 독서가이자 연구가이기도 하니 집중이 필요한 때 정숙의 마법진은 요긴하게 사용하실 거다.

"예쁜 팔찌구나. 정말 정화와 수호의 진이 있어."

"……나는 정숙과 정화, 수호의 진이야."

새기는 모티브가 늘어난 만큼 가느다란 팔찌가 아닌 폭이 넓은 팔찌가 된 그것을 두 선생님의 손목에 채워주었다.

"……뭐랄까, 교사로서의 보람이란 이런 거겠지."

"정말. 가르친 걸 흡수해서 더욱 발전시켰어."

"세 개의 마법진을 조합해서 상쇄시키지 않고 각각의 힘을 이끌

어냈어.”

“과연. 헌병이 부적으로 지니고 다닌다고 들었는데 확실히 고개가 끄덕여지는 효과야. 그래서 최근에 부상자가 적었던 건가…….”

“……잠깐. 어째서 헌병이 엘의 팔찌를 가지고 있어?”

기림 선생님이 나를 바라봤다. 부스스한 갈색 머리칼 사이로 푸른 눈동자가 나를 쏘아보았다.

“아, 아마 고아원이나 수도원 바자회에서 산 걸 거예요.”

“……좋아.”

잠깐, 선생님? 어느 부분이 마음에 들지 않았던 거죠.

그 후로도 화기애애한 시간을 보내고 아란과 함께 기림 선생님과 마리아 선생님이 보이지 않을 때까지 배웅했어요.

다시 만날 일이 없는데도 불구하고 선생님들은 웃으며 “또 만나자.”라고 말씀하셨다.

몰락이 정해진 나에 대한 마지막 다정함이었겠지만 무척 기뻤다.

***

드디어 이 날이 왔다. 아란과 이별하는 날이었다.

아란은 이제부터 학원 기숙사에 들어가 많은 친구들과 우정을 넘어선 애정을 쌓으며 검과 마술, 끝내는 이웃 나라와의 공방에도 나설 예정이었다. 뭐 내가 개입하지 않으니 이웃 나라와의 전쟁은 피할 수 있겠지만.

그렇게 되면 틀림없이 아란 인생의 봄이 올 것이다. 서브 공들의 연모를 뚫고 크르트 님과 꽁냥꽁냥, 전하가 강제로 다가와 곤혹스러워하고, 학원 행사의 원정 연습 장소에서 환상 마수를 길들이고, 때때로 복숭앗빛 에로스 대원(솔직히 이름이 좋아)과 함께 저잣거리를 순회하다가 누군가가 엉덩이를 만져서 싸움을 하고, 위로해주는 크르트 님에게 다시 빠져서 꽁냥꽁냥.

더욱이 졸업 후에는 전하의 시종으로서 왕성에 들어가는데 현자로서 이름을 날린 림 도사님의 마음을 사로잡고 마법 특성을 살리기 위해 도사에게 가르침을 받고 선생님의 세세한 가르침과 허리를 주무르는 지도에 혼란스러워하는 상태에서 벽치기와 키스를 당하고 기숙사로 도망쳐 돌아왔을 때 마중을 나와 있던 크르트 님이 질투한 나머지 밀어서 쓰러뜨리고 아슬아슬한 상황이 됐다가 오해가 풀리고 사과하는 크르트 님과 화해의 꽁냥꽁냥.

아란의 학원 생활은 사랑으로 흘러넘친다.

어쨌든 예의 림 도사님은 대현자이자 엘프인데 크르트 님이 없었다면 림 × 아란이었을 거다.

연 붉은 빛을 띤 긴 은발의 미남으로 진리를 해독하는 푸른 눈동자는 끝없는 심원을 바라고 가지런한 얼굴의 훌륭한 배치는 신의 작품이라고 칭송받는 분이다. 소설에서도 그 용모에 대해서는 상세히 다뤄진 바 있다.

작가가 가장 미는 캐릭터였는지 애니메이션으로 만들 때는 작가의 지시가 가장 많았던 것도 림 도사님이었다고 한다.

아, 공식 프로필에 따르면 긴 귀가 약한 부분이다.

긴 귀를 살짝 깨물면 에로 엘프의 특성이 발휘돼서 마음대로 농락당하고 만다. 긴 귀, 위험.

실제로 전성기에도 크르트 × 아란 다음으로 많았던 것이 림 × 아란이라는, 왕도를 위협하는 매력 넘치는 에로 엘프다.

더욱이 왕성에는 치료술사인 마리우스 의사선생님이 있다.

물의 마술 특성에 뛰어난 분으로 신체 특징에도 그것이 강하게 드러난 물빛 머리칼과 투명한 물빛 눈동자를 가진, 매우 아름다운 분이었다.

체내의 물 혈액을 사용해 열을 내릴 수도 있고 과산화 상태를 일으켜 쇼크사를 일으키는 것도 자유자재.

한 살인 사건에서는 그가 범인으로 의심받는 아슬아슬, 두근두근한 전개도 있었다. 하지만 함정 수사를 펼친 아란이 선생님의 누명을 벗겨준다.

참고로 이 사건에는 엘로즈가 관련되어 있다.

흑장미는 자기 뜻에 따르지 않는 사람을 성에서 내쫓기 위해 갖은 계략을 꾸몄는데 이 또한 그중 하나였다. 압박해도 넘어오지 않으니 쫓아내려 하다니 정말 구제불능이다.

아란이 이 사건에 관여하게 된 것은 피해자가 소설의 16살이 된 전하의 약혼녀 후보들이었기 때문이다. 전하와 크르트 님이 드러내놓고 움직일 수 없었던 것은 그녀들을 지키려고 하면 즉 「후보」라는 두 글자가 사라지기 때문이라고 말한 사촌동생 전하의 고육지

책이었다.

그리고 흑장미는 약혼자 후보를 제치고 자기가 약혼자로서 왕성에서 군림하고 싶어 했다.

꽃미남에게 시중을 들게 하고 놀고먹는 생활을 상상하며 기쁨에 잠겼지만, 유감 천만! 아란이 있어!

지목받은 아란은 폐하의 요청을 받아들여 약혼자 후보로 위장했다.

아란이 드레스를 입은 모습을 본 전하, 크르트 님, 복숭앗빛 에로스 대원, 마리우스 선생님, 에로 엘프 현자까지 아란에게 눈을 떼지 못하고 번갈아 가면서 꽁냥꽁냥.

응? 이건 동인지였나? 하지만 소설에도 함정 수사 편은 있었어.

아란이 귀족 영애 역할을 함으로써 근위 기사가 호위를 맡게 되는데 이 근위 기사도 서브 공 중 한 명으로 공작가의 후계자이자 여장 마니아였다.

자기보다 아름다운 여자가 아니면 결혼하지 않겠다고 큰소리친 나르시스트였다.

여장에 대한 이해나 여성스러운 몸짓을 지도하고 여자다운 수줍음이 없다면서 아란을 몰아붙였다. 언뜻 보면 백합 커플. 그러나 그 실체는 진짜보다 더 진짜 같은 여장 남자였다.

그러고 보니 나도 어린 아란에게 드레스를 입혀서 자매놀이를 했었던가.

그건 무척 멋진 추억이다.

리본과 구두, 꽃꽂이, 액세서리에도 최고로 공을 들이고 눈물로 호소하는 아란을 어르고 달래 화가의 손으로 아름다운 자매상을 남겼다.

그 「아름다운 자매의 초상」은 어디로 갔을까.

팔릴 만한 물건은 모조리 처분했다. 저택은 텅 빈 껍데기다.

마지막까지 그 그림을 파는 것을 망설이고 있자 나와 아란의 초상화에 프리미엄이 붙어 가격이 껑충 뛰었다. 결국 팔았지만 할아범이 말했던 것처럼 한 장 정도는 추억으로 남겨뒀어야 했는지도 모른다.

그런 식으로 재산을 전부 팔아 마련한 돈으로 배상도 어떻게든 막힘없이 해결했다.

피해자 전원에게 소액이나마 위자료를 줄 수 있었던 것은 오로지 폐하 덕분이다.

한때는 몸을 팔 생각까지 했지만 폐하가 후원자가 되어주신 덕분에 큰 혼란 없이 피해자들에게 배상금을 줄 수 있었다. 다들 내 모습을 보고 복잡한 얼굴로 서류에 서명해주었다.

서명을 받기 위해서라고는 해도 아이라는 사실을 전면에 내세우는 것은 비겁한 짓이라고 생각했지만 아란의 앞날에 영향을 주므로 그 부분에 있어서는 굳게 마음을 먹었다.

서명을 꺼리는 분도 있을 거라고 생각했지만 앞으로 부모님이 참여하게 될 희소 광물 채굴 작업의 가혹함에 대해서 설명하자 다들 마음을 풀고 기분 좋게 서명해주었다.

그중에는 내 앞날을 걱정하며 말을 걸어주시는 다정한 분까지 있었다. 정말이지 이런 좋은 분들을 함정에 빠뜨린 부모님의 심보를 의심했다.

"……아가씨, 입궁 준비가 끝났습니다."

할아범의 말에 끝없는 생각의 늪에서 빠져나왔다.

나와 아란은 지난 사흘간 정말 조용하게 지냈다. 아침에 일어나 잠자리에 들 때까지 나누는 대화는 적었지만 서로의 존재를 가슴에 새기는 농밀한 사흘간이었다.

수도 없이 시간이 멈췄으면 좋겠다고 생각했다.

"아란, 잊은 물건은 없니?"

"네, 누님. 다 챙겼어요."

약속 장소까지 아란과 손을 잡고 걸었다. 후작가의 마차 따윈 이미 팔아넘겼으니 걸어갈 수밖에 없었다. 할아범이 아란의 짐을 들어주었다. 그 소박한 짐을 보자 코끝이 시큰해졌다. 미안해, 아란. 누나가 변변치 못해서!

왕성에서 학원으로 통하는 갈림길에서 마중을 나온 시종장을 거쳐 학원의 책임자에게 아란을 보냈다.

눈물이 그렁한 아란! 이것이 마지막이라고 생각하니 상실감에 가슴이 옥죄었다.

"누님, 기다려주세요. 반드시 힘을 길러서 데리러 갈게요."

"아란, 나는 신경 쓰지 말고 단련에 힘쓰렴. 미래는 멀고 험한 가시밭길이지만 널 아껴줄 사람들이 반드시 나타날 거야."

힘차게 끄덕이는 아란의 얼굴을 머릿속에 새기기 위해 눈도 깜빡이지 않고 바라보았다.

소설보다 상당히 빠른 학원편이지만 전하도 있고 크르트 님이 함께하니 분명 괜찮을 거다.

소설에서 기숙사는 분명 크르트 님과 같이 사용했다. 이번에도 그랬으면 좋으련만.

그렇게 생각한 순간 슈웅, 강풍이 불어 반사적으로 눈을 감고 머리카락을 눌렀다. 잠시 후 살짝 눈을 뜨자 아란의 맞은편에 크르트 님의 환영이 보였다.

……하하하, 망상도 이 수준까지 온 건가.

잘 만들어진 환영이 아란 앞에 멈춰 서더니 원작 애니메이션에서 부녀자에게 절찬을 받은 명대사를 읊었다.

"『……데리러 왔어. 이제부터는 내가 너를 지킬게.』 너도 걱정 말고 나에게 맡겨."

머릿속에서 재생된 타락한 대사가 더욱 발전해서 대각선 방향에서 들려왔다.

어? 크르트 님이 나를 보고 있었다.

이거, 환각이야?

순간 머릿속이 새하얘지고 뒤이어 서서히 솟아오른 뜨거운 무언가가 등을 간지럽혔다.

이것은 틀림없이.

—현 실 이 다 !

크르트 님이 귓가에 속삭여주길 바랐던 대사 1위를, 현실에서, 틀림없는 현실에서 듣고야 말았다!

이게 무슨 일일까. 나는 새빨개진 얼굴을 숨기지도 못하고 말없이 끄덕일 수밖에 없었다. 살아 있어서 다행이다!

꿈을 꾸듯 가벼운 발걸음으로 왕성으로 향했다. 할아범이 걱정스러운 듯 뒤따랐지만 괜찮다. 걱정할 필요 없었다.

머릿속에서는 크르트 님의 말이 계속해서 반복 재생되고 있었다.

이로써 앞으로 이어질 난관 따위는 가볍게 극복할 수 있는 힘을 얻었다. 화살이든 철포든 다 덤벼라!

시종장이 안내해준 방 앞에서 다시금 기합을 넣고 정면을 응시했다. 천천히 문을 열자 예상했던 대로 폐하와 몇몇 중진들이 모여 있었다.

말없는 위압감에 위축되었지만 배에 힘을 주고 의연히 정면을 바라보고…… 무심코 턱이 빠질 뻔했다. 좋지 않아. 좋지 않아.

방에 있는 물건들은 모두 최상품이었는데 폐하의 등 뒤에 걸린 그것은 틀림없이 「아름다운 자매의 초상」이었다.

엄청 비쌌는데 사주신 것을 기뻐해도 되는 걸까.

"……초대장에 응해 아클라우스가의 당주 엘로즈, 폐하를 뵙습니다. 부끄럽지만 이번 불미스러운 사건은 폐하의 온정으로 무사히 수습할 수 있었습니다. 모든 것은 오로지 폐하 덕분입니다. 이 자리를 빌려 다시 한 번 깊이 감사의 말씀을 올립니다."

오른손으로 드레스 자락을 살짝 올리고 시선은 폐하에 맞춘 채로, 머리를 움직이지 않고 허리만 낮춘 자세로 인사했다.

우아하고 아름답게 보이지만 사실 하반신이 굉장히 후들거렸다.

"아, 딱딱한 인사는 됐다. 잘 와주었다, 엘로즈."

그 말씀에 마음을 놓고 자세를 바로 했다.

눈만으로 슥 훑어보자 폐하의 양옆에는 오른팔과 왼팔로 불리는 재상과 장군이 있고, 대현자 림 도사님과 마리우스 선생님까지 있었다.

재상과 장군이 있는 것은 이해할 수 있었다.

하지만 어째서 대현자님과 의사 선생님까지 있는 걸까.

당황한 얼굴로 폐하를 올려다보니 우선 이것을 보라는 듯이 반지르르한 쟁반에 가지런히 놓인 물건을 내밀었다.

내가 만든 수호의 팔찌와 납치당해 대량의 약물을 투여당한 아가씨들에게 채워준 정화의 팔찌였다.

이것들이 어째서 이곳에 있는 걸까.

더욱이 다음은 이것이라는 듯이 반지르르한 쟁반에 얹혀 나온 것은 수도원과 고아원에서 활동을 시작했을 무렵, 옛날(전생)을 그리워하며 만든 가내 안전, 교통 안전, 연애 성취, 장사 번영, 건강 기원의 부적이었다.

어째서 이런 엉성한 것들까지 나오는 걸까. 자수 솜씨가 늘었다고는 해도 왕성에서 최상품만 사용해온 폐하와 중진들에게 보일 만한 물건이 아니었다.

"이건 전부 네가 수를 놓은 물건이 틀림없지?"

폐하의 말이 몸에 사무쳤다.

아니라고 말하면 안 되는 걸까. 하지만 어쩐지 그 질문은 내 머리를 넘어 할아범에게 대답을 요구하는 듯했다.

아아, 할아범. 좋아하면서 끄덕이지 마!

그 후로 어째선지 시험이 시작됐다.

근위 기사 한 분이 앞으로 나와 수호의 진이 수놓인 팔찌를 꼈다.

그랬더니 림 님이 앞으로 나와 오른손을 획 휘둘렀다.

어머, 신기하게도 어마어마한 양의 물이! 게다가 역시 대현자, 무영창이었다. 시치미 뗀 얼굴로 우리가 할 수 없는 일을 거뜬히 해낸다! 그 모습을 넋을 잃고 바라보았다.

엄청난 물소리와 함께 원래라면 젖었어야 할 기사님은, 멀쩡했다.

……아, 안 젖었어?

“호오.” 하고 중얼거린 것은 재상이었다. 장군은 놀라 눈을 부릅떴다.

“다음.”이라는 소리와 함께 마리우스 성생님이 앞으로 나와 기사님께 작은 병을 내밀었어요.

“만에 하나에 대비해 해독약도 준비해뒀고, 무엇보다 여기에는 림 도사가 있습니다.”

빙긋 웃으며 내민 그것은 독인가! 헉, 잠깐만, 그런 비장한 표정으로 병을 노려보지 마! 으아악, 마셨어어어어!

“어때?”

“바로 효과가 나타나는 설사약이니 바로 알 수 있을 겁니다.”

아, 설사약이었군. 독이 아니라서 다행이다……가 아니고!

나는 속으로 안절부절못하면서, 창백한 얼굴로 배를 부여잡고 있는 기사님을 바라봤지만 그 기사님은 마리우스 선생님에게 맡겨져 실험은 계속되었다.

수호의 팔찌와의 상성을 찾기 위해서인지 물 공격 다음은 불 공격, 회오리바람 공격, 돌팔매질 등 다양한 마법 공격을 반복하고 때때로 독 안개나 약을 뿌려 상황을 관찰하고 더욱이 직접 약을 머금게 했다. 인체 실험이잖아. 끔찍해.

정화의 팔찌도 마찬가지로 물에서 시작해 불, 바람, 흙으로 기술을 바꾸고 독과 약물로 옮겨갔다.

"……폐하. 실험은 이제 충분하겠지요. 근위 기사 분들이 건강을 해치면 누가 폐하를 지켜드리겠어요."

아무도 말리는 사람이 없어서 끼어들었다.

"아아, 그렇지. 다음은 암기(暗器)도 시험해보고 싶은데, 독화살이 좋겠나? 아니면 세검?"

"말도 안 돼! 무기 같은 걸 막을 수 있을 리 없어요!"

목욕할래? 밥 먹을래? 처럼 가볍게 말하지 말아주세요! 라며 당황하는 나를 보고 폐하가 고개를 갸웃했다.

"그래? 초기 마법인 불 공격과 물 공격을 막고 독약도 막았는데 말이냐?"

"우……우연이에요. 이건 단순한 부적이에요. 몸에 지니는 분의 안전과 무사를 기원하며 수를 놓은 것일 뿐, 실전에서 사용한다는 건 있을 수 없어요!"

"과연. 하지만 마력을 불어넣지 않았느냐?"

"제 마력치가 낮다는 건 아시리라 생각해요. 이 부적도 그냥 만들어본 사소한 거예요!"

아무튼 자기 보신과 사귐의 뜻을 담은, 사랑스러운 「사귐의 증표」 같은 거니까!

"그렇다면 이 진의 구도를 그린 건 누구지?"

"마법도는 제가 존경하는 기림 선생님의 것이에요."

"기림 선생이라. 네 가정교사였군."

폐하의 말에 끄덕였지만 점점 가슴이 아팠다. 혹시 사용해선 안 될 비장의 마법진이었던 걸까.

"폐하, 이것은 제가 혼자서 한 일이에요. 부디 선생님을 비난하진 말아주세요."

무심코 간원하자 계속 입을 다물고 있던 대현자님이 내 앞으로 나왔어요.

"폐하. 연약한 아가씨를 괴롭히는 건 그쯤 하시죠."

"하하. 그렇게 화내지 말게, 림 도사."

그렇게 말한 폐하는 옆에서 대기하고 있던 재상에게 눈짓했다. 재상은 깊이 끄덕였다.

"그럼, 엘로즈. 정말로 귀족 신분을 반납할 생각이냐?"

폐하의 말이 머리에 입력되기까지는 조금 시간이 필요했다.

"무……물론입니다."

대답하는 목소리가 꼴사납게 떨렸다. 안색은 창백해졌다.

"……잊으셨나요? 폐하. 저는 죄인의 딸입니다."

"허나 막대한 자금이 들어간 이 나라의 혈통이기도 하지."

"그럼에도 저는 죄인의 딸입니다."

어쩐지 일이 돌아가는 형세가 수상하여 평민이 되는 것에 대한 의의를 필사적으로 설명했다.

폐하가 빌려준 돈도 노력하면, 몸이 부서져라 노력하면 몸을 팔지 않아도 갚을 수 있는 금액이잖아!

조금 불안하지만 괜찮아. 갚을 수 있어, 엘로즈. 자신을 믿는 거야!

예스, 평민. 노, 귀족.

이 이상은 과로사한다.

보호 따윈 필요 없다. 쓸데없는 질투만 살 뿐, 아무런 도움도 안 되는걸!

여기서 빚을 조금씩 갚아 나가면서 귀족 신분을 유지하라는 건 플래그잖아. 안다고. 플래그 이상도 이하도 아니잖아.

—필 요 없 어 !

고개를 들려는 플래그를 꺾을 각오로 나아가야 한다. 힘내자, 엘로즈!

"폐하. 정도를 어길 수는 없어요."

의연히 앞을 봐. 뜻을 굽히지 마. 죽을 각오로 쟁취해!

……여기서 물러나면 기다리는 건 배드 엔딩뿐!

"못 당하겠군. 열세 살 조카가 깨달음을 줄 줄이야."

폐하는 조금은 슬픈 듯이 하지만 자랑스러운 표정을 지었다.

나는 폐하를 올려다보았다.

"폐하. 귀족 신분이 아니게 되더라도 폐하는 저의 목표세요. 평민의 한 사람으로서 폐하의 치세가 번영을 누리기를 이 엘로즈, 기원하겠어요."

"더는 백부님이라고는 불러주지 않는 것이냐? 로즈."

"황공합니다, 폐하. 하지만 늘 마음속으로는 백부님이라고 불렀어요. 백부님, 부디 몸 건강히 계세요."

천천히, 우아한 몸짓으로 깊숙이 허리를 숙였다.

"오냐. 건강히 지내거라. 엘로즈."

"감사합니다(해냈다아앗!『엘로즈, 이로써 너는 평민 확정이야. 그리고 앞으로 갈 곳이 없어. 그렇지?』……어어? 어어?어어어?)"

어? 림 도사님이 어쩐 일인지 나를 보고 있었다. 살랑거리는 연 붉은색을 띤 은발이 빛을 튕겨내고 있었다. 그 아름다움은 국보급이었다.

다정한 푸른 눈동자와 시선이 마주쳤어요. 으아아아아, 빨려 들어간다.

머리카락 사이로 튀어나온 엘프 특유의 긴 귀가 작게 실룩거렸다.

림 도사님이 긴 귀를 실룩대는 건 기쁘거나 즐거울 때였지. 우와아, 직접 봤다. 얏호!

"거……걱정해주셔서 감사합니다. 림 도사님. 하지만 저는 갈 곳이 있어요."

긴 귀를 빤히 쳐다보면서였지만 간신히 대답했다.

"하지만 수도원에 머물면서 일자리와 지낼 곳을 찾아야 한다고 했었잖아?"

"아……."

그건 기림 선생님과 마리아 선생님께 했던 말이다.

설마 이번 팔찌 건으로 선생님들이 붙잡혀 심문당한 걸까?

분명 내 얼굴은 새파랗게 질렸을 것이다.

"엘로즈 양?"

"도, 도사님. 그, 이번 수호 팔찌는 정말로 저 혼자만의 생각으로 만든 거예요. 기림 선생님은 마법진 강의를, 마리아 선생님은 자수 강의를 해주셨을 뿐, 아무것도 모르세요."

무심코 매달리듯 림 도사님에게 바싹 다가섰다.

"엘로즈 양. 우리는 엘로즈 양을 비난하려고 부른 게 아니야. 물론 엘로즈 양의 스승도 마찬가지. 봐. 이건 내 딸이 고아원 바자회에서 구입한 거야."

재상이 말했다. 예의 그 낡아빠진 볼품없는 부적이었다. 기림 선생님이 그린 마법진이 너무 멋있어서 비단 손수건에 열심히 흉내 내 수를 놓은 것이었다. 그것을 주머니 모양으로 꿰매 작은 복주머니로 만든, 지금 보면 부끄러워서 도저히 내다팔 수 없는 물건이었다.

"어느 밤 연회에서 돌아오는 길에 마차를 습격당하는 바람에 딸은 죽음을 각오했었어."

낡은 부적에는 「교통 안전」이라는 글자가 금사로 수 놓여 있었어요. 나만이 아는, 나만이 이해할 수 있는 단어다.

"이 부적을 두 손에 꽉 쥐고 도적이 처든 검을 그저 보고만 있었던 모양이야."

두려웠겠지. 꽉 쥐고 있었다는 말대로 그 부적 주머니는 찌부러져 있었다.

"하지만 도적이 아무리 검을 휘둘러도 검은 모조리 딸의 몸을 비켜갔다고 했어."

재상이 킥킥 웃기 시작했다. 깜짝이야.

웃지 않는 철가면이라고 두려움을 사고 있는 재상이 웃고 있었다!

"아무리 휘둘러도 검은 딸을 베지 못했지. 결국 도적은 겁에 질려 검을 버리고 도망쳤어. 후일 그 검의 출처를 찾아 내 정적을 붙잡았어. 엘로즈 양, 엘로즈 양은 내 딸의 은인이오."

재상은 다정한 눈으로 교통 안전이라고 적힌 부적을 쓰다듬었다.

"이건 내 아내가 산 거야."

이번에는 장군이 「가내 안전」 부적을 집어 들었다.

마찬가지로 낡은 부적이었지만 소중히 여기는 마음을 장군님이 다루는 모습을 통해서도 알 수 있었다.

"내 아내는 선천적으로 몸이 약했어. 임신은 어렵다는 말을 들어서 애초에 아이는 기대하지 않았지. 그래도 함께하고 싶어서 아내로 맞이했어."

장군이 커다란 손으로 그 부적을 사랑스럽다는 듯 쓰다듬었다.

"부적을 손에 넣고 며칠 후 아내의 임신을 알게 됐어. 불가능하다고 했었는데 말이야. 몇몇 의사는 위험하니 지우라고 했어. 폐하께 부탁해서 마지막으로 마리우스 씨께 진찰을 받았지. 마리우스 씨마저 같은 의견이었어. 그래도 아내는 아이를 포기하지 않았어. 나에게 아이를 남길 수 있다고 기뻐했지. 이 부적 덕분이라고."

그건 장군님이 노력했기 때문이지 부적 때문이 아니지 않을까요…….

"아내는 또 여러 바자회에 들러서 이야기를 듣고 이번에는 이 부적을 사왔어. 이게 있으면 괜찮으니 걱정하지 말라고 했는데 실제로 무사히 아이를 낳았지. 자궁에서 자랄 수 없다던 아이가 무럭무럭 자랐고 아이를 낳을 수 없다는 말만 듣던 아내가 무사히 아이를 낳았어. 길어야 3년이라고 했던 아내는 매일 웃으며 지내고 있어."

하나는 「건강 기원」이고 또 하나는 「순산 기원」과 「소원 성취」 부적이었다.

"……이 행복을 알겠나, 엘로즈 양. 그 이후로 아내는 매년 수도원에 가서 기도를 하는 대신 부적을 사서 소중히 몸에 지니고 다녀. 아내도 아이도 덕분에 건강해. 내가 오늘 여기 온 건 엘로즈 양에게 고맙다는 말을 하고 싶어서야. 정말 고마워, 엘로즈 양."

장군도 웃었다.

"제, 제가 이루어드린 게 아니에요. 재상님의 따님도 장군님의 부인도 그저 운이 따랐던 것뿐이에요."

그렇게 믿게 해서는 안 됐기에 필사적으로 부인하자 장군의 옆에서 있던 재상이 쟁반 위에 놓인 팔찌를 집어 들었다.

"헌병들이 부적 대신 지니고 다닌다는 팔찌라지. 나는 딸이 가진 부적밖에 몰랐지만 방금 봤던 효능은 굉장했어."

아, 나도 내 눈을 의심했다. 지금도 짜고 친 게 아닐까 하는 의심이 든다.

"하지만 병약한 자에게 희망을 주는 것보다 더한 효능은 없지. 림 도사, 이 모양은 어떤 마법 구성식인가?"

장군이 림 도사님에게 부적을 보여주었다. 으아아, 실 처리가 엉성한데.

"성으로 귀환하라는 명령을 받은 이후로 줄곧 진 구성을 해독하기 위해 노력했지만 이 모양은 해석하지 못했습니다. 힘으로 가득 찬 진이라고밖엔 설명할 수가 없어. 이렇게 본인을 직접 만나 이 모양이 어떤 구성으로 성립되어 있는지가 해독된다면 앞으로가 기대되는군요."

빙긋, 아름답게 미소 짓는 림 도사님을 보고 정신이 아찔해졌다.

식은땀이 흘렀다.

림 도사님과 장군, 재상이 해독 불가능하다고 말한 모양은 다름 아닌 「한자」였다.

어, 어쩌면 좋지?

변명 거리를 생각하느라, 그들이 나를 빼놓고 내 앞날을 결정하는 것을 한동안 눈치채지 못했다.

"귀족 신분을 상실한 로즈를 에워싸려는 자들이 분명 있겠지."

"어젯밤에도 소동이 있었습니다."

"하지만 로즈 말대로 귀족 신분을 버리고 명령받은 것처럼 보이지 않으면 같은 귀족들에게 적대시되어 더 가혹한 상황에 처하겠지."

"하지만 수도원에서는……."

"음. 하나의 사단에게 호위를 맡기는 건? 지내는 건 당분간 수도원이면 되겠지만 로즈가 말하는 일자리는 어떻게 할지……."

"폐하!"

멍하게 있는 사이에 결정됐다. 게다가 사단 하나라니, 그런 거 필요 없어!

"제가 엘로즈 양을 고용하죠. 내 잔심부름이나 식사 준비, 그리고 엘로즈 양이 구축한 새로운 마법진을 함께 해석하고 싶어. 고임금을 약속하지, 엘로즈 양."

"림 도사님?"

고용주가 나타났다! 싸워? 도망쳐?

"그건 치사하지. 내 식사 준비와 청소, 빨래를 해주면 급료를 듬뿍 주지. 거기에 마법진 자수 놓는 법을 알려주면 림보다 더 고임금을 약속할게."

"마리우스 선생님까지!"

또 고용자가 나타났다!

"원한다면 엘프 마을에 여행도 보내주지."

"아!"

엘프 마을이라면 일단 한 번 들어갔다 나오면 현실 부적응자가 되어버린다는 그 전설 속의 유토피아! 조, 좀, 가보고 싶다…….

“사단장에게 연락을 넣어둘 테니 왕성을 떠날 때는 연락을 주게. 그리고 이건 개인적인 부탁인데, 자식 운을 가져다준다는 부적을 만들어주지 않겠나. 이번에는 그, 아……아내를 닮은 여자아이를……. 보수는 넉넉히 주지.”

자아아아아앙구우우우우운…… 부인께서 몸이 약하시다면서 또 아이를 가지시려고요.

입을 딱 벌리고 질린 채, 부끄러워하는 장군을 보고 있었더니.

“……짐의 아내 것도 부탁하지. 이번에는 이 그림처럼 귀여운 딸을 보고 싶어.”

폐하…….

성별 같은 건 못 정한다고요!

으악! 아저씨 둘이서 부러운 표정으로 「아름다운 자매의 초상」을 보지 마! 아란이 닮잖아!

“나는 수호의 팔찌와 정화의 팔찌를 도합 백 개씩 갖고 싶군요. 전선에 나서는 자의 투기와도 관련되는 거니까. 물론 이동 중의 안전을 확보하는 부적이라도 좋아요! 정말로 이걸 품에 지니고 있는 것만으로도 그렇게 시끄러웠던 암살 소동이 없어지니…… 크크크크.”

재상이 불쑥 무서운 말을 중얼거렸다.

역시 왕성은 무서워. 위험한 플래그가 바람에 펄럭이는 환각이 보였다.

드디어 귀족 신분을 반납할 날을 맞이할 수 있게 됐다.

긴 시간이었어!

그때가지 폐하와 장군을 위해 붉은색 자수실로 「자식 기원」이라는 문자를 수놓은 부적을 완성했다. 붉은색으로 여자아이를 연상한 것인데 이런 걸로 성별이 결정된다면 세상의 어머니들이 고생할 일은 없을 거다.

계속 수를 놓고 있는데 동석하게 된 림 도사님이 만드는 과정을 뚫어져라 보는 바람에 몹시 불편했다. 감시인가. 위험물로 판정된 것인가.

참. 재상이 부탁한 팔찌 백 개는 분할로 납품하기로 했다.

마지막 날, 따라나서려는 할아범에게 작별을 고하고 단출한 짐을 챙겨 수도원으로 향했다. 평소에는 많은 사람들이 오가는 길인데도 사람 그림자 하나 보이지 않았다.

이상한 생각에 주위를 두리번거렸지만 주위는 쥐 죽은 듯 고요했다.

돈이 스치는 소리, 누군가의 숨결을 들은 것 같았지만 기분 탓이었던 모양이다.

수도원에 도착하자 친한 수녀가 눈물을 흘리며 위로해줬다. 심플한 수도복으로 갈아입자 어머 신기해라, 흑장미 주제에 어엿한 수녀로 보였다.

왕가만의 희귀한 색채인 머리카락도 두건으로 감추니 누군지도 분간이 안 됐다. 다 똑같은 수녀의 모습이었다. 그렇다. 키와 몸집은 다르지만 다 똑같은 옷, 똑같은 두건이다!

애초에 몰락 초읽기였던지라 아란과 함께 배울 수 있는 것은 최대한 많이 배워둘 생각으로 탐욕적으로 지식을 탐구하고 수련을 거듭해 경험치를 올린 결과 가정부로서의 자질을 충분히 갖추게 됐다.

그래서 몰락 후에는 경험치를 살려 어느 저택에 가정부로 취직할 작정이었다. 하지만 설마 정말로 왕성에서 만났을 때 한 말처럼 림 도사님과 마리우스 선생님이 나를 고용해줄 줄은 몰랐다. 게다가 수녀 모습으로 방문하면 두 사람을 노리는 귀족 영애들의 야수 같은 눈빛도 피할 수 있다.

쓸데없는 질투를 피하는 데는 최적의 복장이다. 그야 신의 신부인걸.

즉시 먹빛 옷에 두건을 두른 차림으로 첫 출근에 나섰다.

첫 번째 고용주인 림 도사님의 집은 썩어있는 세계였다.

과장도 뭣도 아니었다.

지브○ 명작, 나우×카 씨의 집을 방문하는 것 같았어요.

그 방을 저택처럼 확대해서 토○로의 숲과 합치면 이런 느낌이 될지도 모른다.

림 도사님은 엘프라서 짙은 녹색이 취향인 듯했다.

다만 인간에게는 너무 짙다는 생각이 들었다.

문을 열자마자 정글 상태의 실내에 서식하고 있던 거대한 포자식물이 내 얼굴을 향해 포자를 뿜어 하마터면 질식할 뻔했다.

그 후에는 말없이 위에서 아래로 대청소를 했다.

마리아 선생님의 지도 덕분에 어떤 곳에서도 겁먹지 않고 임무를 수행할 수 있는 것이 다행이었다.

두 번째 고용주인 마리우스 선생님은 결벽이 있는 모양이었다.

깨끗하게 정돈된 방을 봤을 때 마리우스 선생님의 어디에 가정부를 필요로 하는 부분이 있는 걸까 하는 생각에 잠겼다.

그런데도 마리우스 선생님은 어느 방이든 들어가 청소해도 좋다고 했다.

1층의 안쪽 방에 들어갔을 때 간신히 비명을 멈출 수 있었던 건 선생님의 직업이 의사라는 것을 알고 있었기 때문이다.

어두컴컴한 방 한 가운데 마네킹이 서 있었다. 아름다운 드레스가 입혀져 있었다. 그 반들반들한 머리에는 짙은 갈색의 사람 머리카락이, 눈에는 사람의 속눈썹을 본뜬 속눈썹이 붙어 있었다. 예쁘게 물들인 손톱 장식까지. 당장에라도 움직일 듯한 마네킹 탓에 썰렁한 실온이 냉동고 같은 냉기를 불러왔다.

더욱이 네모난 상자에는 정체불명의 물체들이 담겨 있었다. 길쭉한 것, 땅딸막한 그릇, 완전히 뷰러처럼 생긴, 철사로 만들어진 이것은 피부를 벗기는 도구일까, 안구를 적출하는 도구일까.

시선을 돌리자 안구가 보였다. 하하하하. 와우, 푸른색 안구였다. 밤색 머리털도 푸른색 안구도…… 마리아 선생님의 색깔과 닮았다.

……덜덜덜.

설마 마리우스 선생님은 여자의 두피를 벗겨서 두발을 수집하는 정신 나간 취미가 있는 걸까. 어쩌지. 소설에서 살인귀로 의심받는 것도 어쩔 수 없다고 생각했다. 어쩔 거야.

하지만 열심히 청소했다. 그게 계약이니까. 무서워서 가장 안쪽 문은 열지 않았다. 여는 순간 인체 모형이나 박제가 쏟아진다면 아무리 흑장미라도 오줌을 지리고 말 거다.

며칠 뒤 안쪽 방 청소를 다했다고 보고했더니 마리우스 선생님이 안절부절못하는 반응을 보였지만 곧장 수도원으로 돌아왔다.

제 4 장 낙원에서 만나요

안녕, 여러분.

내가 있는 이곳…… 후후, 이미 눈치챈 분도 있겠지만 학원(사랑의 보금자리)이다.

중요한 거니까 다시 한 번 말하겠다. 아란과 크르트 님의 사랑의 보금자리다.

쓸데없는 어중이떠중이도 있지만 아란과 크르트 님이 농밀한 우정을 맺고 미래를 약속하는 중요한 장소랍니다.

어째서 그런 곳에 있냐고 의아하게 생각할 사람도 있을 거다.

나도 눈물을 삼키며 아란을 시집보냈기 때문에 그렇게 쉽게 만나러 갈 수 없다고 생각했다. 만나고 싶지만 만날 수 없다. 이 무슨 시누이의 딜레마랄까. 하지만 비로소 안정을 되찾은 수도원에서 어느 날 나는 깨닫고 말았다.

—수도복을 입으면 누가 누군지 분간할 수 없다는 사실을 말이다.

그건 당연하다. 똑같은 원피스에 똑같은 두건으로 머리카락을 감춘 모습은 개성이 하나도 없으니까 말이다.

이걸 몸에 두르고 있는 한, 누구도 날 알아보지 못한다.

그렇다면 이렇게 입고 몰래 학원에 가면 되잖아? 라는 생각을 하기까지는 그리 많은 시간이 걸리지 않았다.

다음 휴무 날에는 허가를 얻어 학원에 가 멀리서 아란을 지켜보고, 크르트 님의 표정을 머릿속에 새겨 모에를 보충하리라 마음을 먹었다.

그런 와중에 위에서 요청받은 일이 왕립 학원 내부 청소 봉사였다.

순간 귀를 의심했다. 나는 귀부신(貴腐神)이 존재한다고 확신했다.

신 님, 일단 마니차 300회면 어떨까요.

당당히 학원에 들어갈 수 있고 다른 수녀들과 같은 보호색을 둘러 신분이 노출되지 않으니 일석이조였다. 게다가 어쩌면 아란과 크르트 님의 여러 명장면을 목격할 수 있을지도 모르는 일석삼조를 노렸다.

그러니 "모처럼 만의 휴무에 미안하지만 참석해줄 사람 없어?"라는 원장 선생님의 물음에 손을 번쩍 들었다. 눈이 반짝반짝 빛났을 거다. 콧김도 거칠었을 거다. 누구에게도 이 권리를 넘겨줄 생각은 없었다.

그런데 원장 선생님은 나를 제외하려고 했다.

"거긴 옛날부터 어른들이 가고 있어."라고 말했지만 아란과 크르트 님의 사랑의 보금자린걸.

꼭 가고 말 거야!

필살기인 눈물 작전으로 골드 티켓을 따냈다. 다른 지원자가 없었던 것과 나의 아란이 학원에 있다는 사실이 도움이 됐다.

그리고 현재, 나는 학원에 와 있었다.

감개무량. 감동해서 가슴이 떨렸다.

지금도 선명히 떠올릴 수 있다. 지금보다 어른스러운 열다섯 살,

소설에서 아란을 둘러싼 남자들을 다툼을 말이다.

나무 그늘에서 아란과 크르트 님이 대화를 나루고 건물 그늘에서 완전 S 전하에게 벽치기를 당하고 화단 옆에서 크르트 님에게 뜨겁게 안기고 만개한 꽃보라 속에서 서로의 심장 소리를 들으면서 두근거리는 첫 키스! 살며시 눈을 감는 아란과 아란의 붉은 입술에 반하는 크르트 님. 서서히 둘 사이의 거리가 좁혀지고 숨결까지 느껴지는 가까운 거리에서 떨리는 입술과 입술! 포개고 싶다! 하지만 수줍음이 다가가는 것을 주저하게 만든다!

끄아아아아아, 난 몰라아아아아아앙!

크으으…… 설마 그 현장에 서게 될 날이 올 줄은 몰랐다. 장승처럼 버티고 서 있을 거다!

그리고 주위를 둘러보니 곳곳에 성역이 보였다.

아아! 애니메이션 스틸 컷에 있던 문이다! 오프닝 중 한 장면에 사용됐던 거다!

아, 저 장미꽃 아치는 전하에게 구애받을 때 나온 배경이잖아!

우와! 저 분수는 복숭앗빛 에로스 대원과 장난치다 빠져서 키스 당했을 때의!

이미 이곳은 꿈의 나라다. 가슴이 두근거려서 죽겠다.

심쿵사냐 모에사냐. 그것이 문제로다.

“수녀님. 수녀님?”

“아, 죄송해요.”

나는 양동이와 걸레를 들고 지정받은 마법학 A교실로 향했다.

나이가 많은 수녀님들은 익숙하게 각자의 구역으로 흩어졌다.

교내로 들어서자 선득한 공기가 떠돌았어요. 각 교실에는 강의를 듣는 학생들이 앉아 있었다. 진지한 표정들을 보니 나도 들떠 있을 때가 아니라는 것을 깨달았다.

학생들의 진지한 분위기가 피부로 와 닿았어요. 그럼 나도 진지하게 교실 청소에 임해 학생들의 열의에 보답해야겠다.

당분간 모에는 봉인이다.

마리아 선생님께 직접 전수받은 청소의 비법은 방 안에 있는 물건은 최대한 옮기고 위에서부터 아래로. 그리고 젖은 걸레로 닦은 뒤에 마른 걸레로 윤을 내는 것이다.

나는 두건 위에 먼지 막음용 천을 두르고, 먼지를 마시지 않게 입에도 천을 둘렀다.

여러 번 물을 교체하면서 박박 닦고 마른걸레질로 마무리했다. 나뭇결이 반들반들하게 윤이 나면 청소 끝이다.

'마음을 닦듯 바닥을 닦는 거야.'라고 마리아 선생님은 자주 말씀하셨다.

마른걸레질을 끝내고 마루에 앉은 채로 만족스럽게 교실을 둘러보고 있자니 학생들의 대화 소리가 들렸다. 아무래도 다음 수업을 듣는 학생들이 온 모양이었다. 학생들은 교실 안에 책걸상이 없는 것을 보고 화를 내며 나를 욕하기 시작했다.

"교실 꼴이 왜 이래? 이 상태로는 수업을 못 하잖아."

"교수님이 자습이라고 했기에 망정이지. 그건 그렇고, 설마 우리한테 책상을 옮기게 할 생각은 아니겠지?"

"이런 구질구질한 수녀가 우리를 귀찮게 하다니 한탄스러운 일이에요."

"어쩌겠어. 우리가 관용을 베풀어주자고. 할망구는 쓸모가 없다니까. 자, 이렇게 여기 있어 봤자 시간낭비일 뿐이야. 숙녀분들, 다음 수업까지 담화실에서 이야기나 나누실까요?"

"어머, 그럼 그럴까요?"

필시 귀족 신분일 몇몇 학생들이 발길을 돌려 떠났다. 촌극에도 꽃은 흩날리는 법. 짝짝짝짝. 이야, 청춘이구나.

흑장미가 할 말은 아니지만 숙녀분들, 누가 보고 있을지 모르니 그렇게 대놓고 평민을 욕하는 짓은 그만두는 게 좋아요. 미래의 유망주가 이 안에 있기라도 하면 어쩌려고. 호감도가 떨어지면 나중에 공략하려고 해도 밀어내기만 할걸? 귀족이라고 해도 바보 같이 굴면 흑장미처럼 천공 감옥에…… 으아아. 그런데…… 할망구는 날 보고 하는 소린인가…….

뒷모습에서 나이가 드러난다고 하는데, 서른을 넘긴 정신 연령이 드러난 걸까.

별 수 있나…… 저들은 팔팔한 십 대인걸. 괜찮다. 나도 외모는 십 대니까. 흑장미긴 하지만.

이 학원에 입학할 수 있는 건 7살부터이고 졸업 연령은 평민은 15살, 귀족은 18살이다. 팔팔한 십 대로 보이는 저들은 상급 귀족인 것 같으니 17, 18살일 것이다.

'정신 연령을 간파하다니, 무시할 수 없겠다.'

나는 벌떡 일어나 쌓아두었던 책상을 하나씩 옮기기 시작했다.

"아아, 귀족들은 좋겠다. 응접실에서 우아하게 차모임이라. 정말!"

"꾸물대지 마, 할망구."

"그만해. 모처럼 청소해줬잖아. 책상 정도는 옮겨주자고."

얼마 안 가 차마 볼 수 없었던지 학생들 중에서 몇 명이 나서줬다. 일이 느려서 죄송합니다.

"수녀님은 다음 구역으로 가보세요. 여긴 우리가 할 테니까."

"어머, 친절하셔라. 고마워요."

굉장한 기세로 소년들이 책상을 옮겨주었다. 하나가 아니라 두세 개씩 들고서……. 확실히 내가 돕는 건 방해만 되겠네, 라며 살짝 낙담한 기분으로 입 가리개용 천을 풀고 소년들에게 고맙다고 인사를 했다. 그러자 다들 딱딱하게 표정이 굳었다.

책걸상이 가지런히 정리된 것을 확인한 뒤, 양동이를 들고 교실을 빠져나왔다.

이제부터는 아란을 찾아 학원 안을 탐험하면서 모에를 보충할 예정이다.

하지만 아란을 찾기 전에 꼭 한 번 보고 싶은 장소가 있어서 그곳으로 향했다. 건물 내부에서 중앙 정원을 가로지르는 좁은 길은 바로 찾을 수 있었다. 애니메이션을 모조리 챙겨본 덕분에 건물 구조는 빠삭했다. 이대로 직진하면…… 찾았다.

오래된 교회였다.

이 스테인드글라스 빛 아래에서 크르트 님이 아란에게 마음을 고백하는, 장미의 명장소였다. 이곳으로 온 것은 스테인드글라스를 실물로 가까이에서 보고 싶었기 때문이었다. 소설책 표지에 슬쩍, 애니메이션의 한 장면에 슬쩍 나왔을 뿐 전체를 파악할 수 없어 애가 탔었다.

부푼 가슴을 안고 문을 열었다.

스테인드글라스를 통해 떨어지는 빛의 예술에 잠시 시간을 잊었다. 그곳에는 정말이지 아름다운 천사님이 계셨다.

"……수녀님, 나한테 용건이 있어?"

최고의 미소녀 천사님은…… 진짜 천사가 아니었을까?

이 어렴풋한 갈색의 천연 곱슬, 탱글탱글한 분홍빛 입술, 초원을 닮은 푸른 눈동자. 이상하다. 틀림없이 천사인데, 남자 교복을 입고 있었다. 어? 근데 이 사람은 혹시…….

"이런, 내 아름다움도 죄라면 죄지. 미안하지만 연상은 곤란해. 사귀자고 하는 거면 거절이야. 왜냐하면……."

"『나보다 아름다운 여자가 아니면 용납할 수 없으니까.』"

이, 이 녀석은, 공작가의 나르시시스트!

하지만 소설에서는 근위 기사로서 성내에 있었을 텐데……? 으아앗, 지금 아란은 여덟 살! 소설 공략 대상자와 지내는 시간이 다른 만큼, 지금 어디에 누가 있어도 이상하지 않아!

그래도 백 번 양보해서 학원(이곳)에 있는 건 엄청난 위화감이 듭니다만.

"……무례한 수녀네. 묻는 말에는 대답도 않고 내 말투를 흉내 내다니. 너는 어느 가문 사람이지?"

험악한 얼굴로 노려보았지만, 이 나르시시스트의 트레이드마크라면…….

"……어째서, 어째서 드레스를 입지 않은 거야!"

"뭐?"

매우 유감이다.

……공작가의 적자인 나월은 한 살 연상인 누님을 무척 좋아하는 시스터 콤플렉스로 누님이 누군가에 의해 살해당한 후 여장을 하게 된 캐릭터였다.

시스터 콤플렉스지만 정상인 그는 자기가 얼마나 누나를 닮았는지 알고 있었다.

그는 범인을 색출하기 위해서 여장을 계속 했다. 흰 백합의 그대라고 불리게 된 나르의 기합 충만한 드레스 차림은 훌륭한 전투복이었다.

거기엔 조금의 빈틈도 없었다. 보고 싶었는데!

그 나르가 여장을 하지 않았다. 소설 회상 장면에서 누님이 죽은 건 학원에 재학 중일 때라고 했었는데……. 나는 고개를 번쩍 들었다. 이……이건 혹시!

"이상한 수녀네. 용건이 없으면 얼른 돌아가. 난 누굴 만나기로 했어."

"저, 저기! 엉뚱한 질문이지만, 누, 누님께서는 건강하세요?"

"그게 너랑 무슨 상관이지?"

냉담한 반응이 돌아왔지만, 여기서는 물러서선 안 된다.

"지금 만나신다는 분이 혹시 10학년 에릭 선배 아닌가요?"

"너, 정체가 뭐야?"

딱 알아맞힌 것이 신경을 건드린 건지 나를 노려보는 눈빛이 날카로워졌다.

틀림없어……! 나르의 누님은 「아직」 죽지 않은 거야!

나는 소설의 시간의 흐름을 떠올렸다.

그러다 범인으로 짐작되는 남자를 궁지에 몰아넣는 나르의 드레스 차림을 떠올리고는 하마터면 코피를 뿜을 뻔했다. 그것은 아름다운 복수극이었다.

범인…… 10학년 에릭은 창백한 얼굴로 나르의 드레스에 매달려 울부짖었어요.

미안해, 아이라. 용서해줘! 부탁한다, 용서해줘! 오해야. 죽일 생각은 없었어. 나는 잘못한 거 없어. 나쁜 건, 나쁜 건—.

아클라우스(우리) 가문이라고.

돼지이이이이이이이! 무슨 짓을 한 거야. 이 자식아아아아아!

아, 하지만 이미 아클라우스가는 존재하지 않아요. 어라, 그럼 누가 에릭을 조종하고 있는 걸까?

돼지가 아니다. 나는 물론 아니다. 그렇다면…… 도대체 누가.

"어이! 어이, 이봐!"

"어? 우왓."

끙끙대며 생각에 잠겨 있는데 나르가 팔을 잡아당겨 마스크 천이 벗겨졌다. 난폭한 나르 자식!

좋아, 싸움에 응하지.

나는 빳빳이 고개를 들고 나르의 눈을 응시했다. 어이없는 표정의 나르가 나를 보고 굳었다. 어쩐지 오늘은 다들 굳어버리네.

"잘 들어요. 누님을 위해서라도 에릭 아무개 같은 하찮은 인물과는 만나선 안 돼요."

"뭐, 라."

—확실히, 먼저 빠진 건 아이라 님이었다.

흔한 열병이다. 학원의 왕자님 역할이 10학년 에릭 아무개였던 것뿐.

다만 그 사이비 왕자는 공작가 영애와 사귀면서 우쭐해진 거다. 나쁜 놀이에 손을 뻗어 성적은 뚝 떨어지고 기사 시험에도 낙방했다.

연인을 붙잡아두기 위해 애를 쓰다 결국 길을 잘못 들어 아클라우스가가 주최한 도박장에 드나들기 시작했고 판돈이 다 떨어졌을 때 건 것은 아이라 님이었다. 돼지는 분명 미친 듯이 기뻐했을 거다.

하지만 이 흑장미가 그렇게 되게 둘 리 없죠. 아니, 두지 않아!

"너, 뭘 알고 있군."

마지막으로 적어도 만나서 사과하고 싶어. 그런 편지를 무시하지 못하고 나간 아이라 님은 아클라우스가 돼지의 속셈을 알아차리고 도망치기 위해 저항했다. 하지만 결과적으로 아이라 님은 살해당한다.

나르는 줄곧 후회에 사로잡혀 지낸다.

어째서 그때 에릭 아무개가 준 편지를 누나에게 건네줬을까, 하고 훗날 아란에게 회한의 말을 중얼거린다. 지금이라면 그런 후회를 하지 않게 할 수 있을지도 모른다. 어떻게든 편지를 전하는 걸 막아야 한다.

"하나의 파열이 돌이킬 수 없는 일을 만드는 거예요. 당신은 이런 곳에서 에릭 아무개를 기다릴 필요가 없어요."

"……심한 말을 하네. 어째서 내가 수녀에게 이런 말까지 들어야 하지?"

바로 그때 등 뒤에서 에릭 아무개가 교회 안으로 들어왔다.

……저렇게 비굴하게 웃는 불쾌한 얼굴이었나?

아이라 님이 어디에 반한 건지 직접 대화해보고 싶어.

"나윌 군, 이 무례한 수녀는 아는 사람이야?"

"……아뇨, 모르는 사람이에요."

"그럼 나가주실까. 우리는 이제부터 중요한 이야기를 할 거거든."

에릭 아무개가 그렇게 말하고, 벌레를 쫓듯이 팔을 휘휘 저었다.

"저도 선배님을 한 번 뵙고 싶다고 생각했어요."

"그랬군. 어이, 수녀, 안 나가고 뭐해?"

웃으면서 대화를 나누고 있지만, 등 뒤에서 다가온 에릭 아무개는 나에게 가차 없었다. 쫓겨나기 전에 나가려는데 어쩐 일인지 나르가 내 팔을 꽉 쥐고 놓아주지 않았다.

"나윌. 왜 그래? 이야기하기로 약속했잖아."

"……선배님, 더 이상 누님께 접근하지 말아주세요."

"……나윌, 무슨 소리야? 설마 이런 여자가 하는 말을 믿는 거야? 수녀, 너 무슨 바람을 불어넣은 거야!"

"아뇨, 선배님. 공작가의 뜻입니다. 단지 이 수녀와 의견이 같았던 것뿐이에요."

"잠깐만, 나윌. 이야기를!"

"저는 더 이상 할 말이 없습니다."

나르는 그대로 내 등을 떠밀면서 교회 밖으로 나가려고 했다.

하지만 붙잡기 위해 허둥지둥 쫓아온 에릭 아무개를 본 순간, 나르는 벗긴 천을 내 머리에 씌웠어요. 왜 이러는 거야. 앞이 안 보이잖아.

우왕좌왕하는 사이에 나르가 내 팔을 잡아당겨 자기 뒤로 감춘 것을 알았다.

새삼스럽지만 이 포지션, 괜찮은 걸까. 방해된다고 쫓아내려 했으면서…….

"제발 그녀를 만나게 해줘! 이대로 헤어지는 건 너무해. 적어도 이별에 대한 사죄만이라도 하게 해줘."

에릭 아무개는 나르에게 매달렸다. 이 무슨 데자부일까.

"선배님이야말로 공작가의 정보 수집 능력을 얕보신 것 같군요. 지금이라면 서로 좋은 추억으로 아름답게 끝낼 수 있을 겁니다. 누나도 사랑을 속삭였던 상대가 설마 자기를 팔아넘길 거라고는 생각하지 않을 거고요."

"나, 윌. 그 무슨 말도 안 되는—."

정말. 어째서 그걸 알고 있어? 나르! 나는 무심코 나르의 등을 뚫어져라 보았다.

“모를 줄 아셨어요? 누나의 상대를 조사하지 않을 리 없잖아요. 기사 시험에 떨어진 건 유감이지만 그 후로도 기회는 얼마든지 있었을 겁니다. 자포자기하지 않고 자신을 단련했으면 좋았을 텐데 설마 도박에까지 손을 뻗을 줄은 몰랐어요. 게다가 그 부채를 어째서 누나에게 요구하는 건지, 아무리 생각해도 이해할 수 없군요.”

“아니야, 오해야. 나윌, 난.”

“더 이상 할 말 없습니다. 빨리 다른 여자를 찾든 학원을 떠나세요. 그런 노력조차 없이 계속 누나에게 의지하려 한다면 그때야말로 우리 공작가가 가만히 있지 않아. 누나를 슬프게 한 죗값을 치르게 할 겁니다.”

머리 위를 날아다니는 단어의 나열에 잠시 멍하니 있었지만, 나르가 다시 팔을 잡아당기는 바람에 앞으로 고꾸라질 듯이 다리를 움직였다.

거침없이 걸어가는 나르의 속도에 따라가기 바빴다.

그 교회에서 데리고 나와준 건 고맙지만, 도대체 어디로 가는 걸까.

“저기.”

“난 네가 말해주기 전부터 그 남자에게 마지막 선고를 할 생각이었어.”

계속 앞을 보며 걸어가는 나르가 퉁명스럽게 말했다.

어머, 그럼 내 충고는 쓸데없는 걱정이었군.

"네. 정말 다행이에요. 절대로 아이라 님과 만나게 해선 안 돼요. 아이라 님이 큰일을 당하실 거예요."

팔을 붙잡혀 끌려가는 채로 대답했다.

내 대답을 듣고 나르는 잠시 생각에 잠긴 뒤 살짝 난처한 듯이 나를 바라봤다. 이 작은 동물을 데려갈지 말지 갈등하는 소년의 눈빛이었다.

어울리지 않아!

나르는 언제나 내려다보는 시선으로 이 세상의 모든 것을 오물인 듯 거들떠보지 않고 때로는 멸시하고 때로는 모멸적인 말로 정신을 닳게 하고 금지옥엽으로 자란 영애의 긍지를 꺾어버릴 기세로 아름다움을 경쟁했다. 소설에서는 흑장미조차 호되게 당할 정도의 나르시스트였다고!

"뭐지?"

아이코. 미간에 주름이 잡힌 걸까?

"……너도 그 녀석한테 험한 꼴을 당한 거야?"

"네? 아뇨!"

굳이 말하자면 소설에서 마지막 선고를 한 사람이다. 오히려 일련탁생으로 나란히 지옥행을 걸었다.

하지만 이로써 아이라 님이 위기에서 벗어났다면 다행이다. 그러나 이건 동시에 아란과 나르의 플래그를 꺾어버린 걸까.

음…… 뭐, 됐어요!

유사 백합 상태의 나르 × 아란이라면 몰라도 지금의 비실비실한 나르는 아란을 지킬 수 없으니까!

역시, 왕도가 최고! 그런 생각을 하고 있는데 나르가 내 즉답에 순간 어이없는 표정을 지었다가 얼굴을 붉히더니 처음 보는 매서운 눈빛으로 노려보았다.

좋아, 좋아. 상태 이상무.

소설에서 나르가 약해지는 상대는 아이라 님과 아란 둘뿐.

나르는 그래야 한다!

"수녀, 너 어느 집안 사람이지? 설마 이걸로 공작가의 약점을 잡았다고 생각하는 건 아니겠지."

우왓, 무서워.

그렇게 매섭게 노려보지 않아도 약점을 이용하는 짓은 하지 않는다.

아는 사람이 사고를 당하는 걸 「확실히」 알고 있으면 누구든 막잖아?

"무례하군요. 저는 어느 집안 사람도 아니에요. 그저 아이라 님이 현실에 눈을 뜨고 오래도록 건강하시길 바랄 뿐이에요."

"이상한 여자네. 이름이 뭐지?"

"아아, 실례했습니다. 아트페의 수도녀, 로즈라고 해요."

"아트페!"

이제 아클라우스 가문이라고는 말할 수 없기에 요즘은 아트페 수도원의 로즈라고 소개하고 있지만 그렇게 놀랄 일일까.

"아트페를 아세요?"

그렇게 큰 수도원은 아니었을 텐데.

“알아. 가족을 행복으로 이끌어준다고 소문난 부적을 샀거든. 반신반의했지만 그때까지 누구의 말도 듣지 않던 누님이 가족들의 말을 듣고 드디어 현실을 자각했어.”

“어머, 역시 『가내 안전』이네요.”

역시 은근히 효력이 있네!

“응. 수도원 여성이 그런 이상한 단어를 사용했었지. 이상한 울림을 가진 부적이었어.”

만드는 사람의 정보는 제한되어 있겠지만 그 무언가를 탐색하는 눈빛에 심장 박동이 빨라졌다.

“아, 그럼, 전 이만.”

자연스럽게 시선을 피해 자리를 뜨려 했지만 나르는 여전히 팔을 놓아주지 않았다.

“잠깐만.”

“곤란해요. 작업 중이에요.”

스테인드글라스의 모습도 확인했고 소설에서 사망 예정자의 위기도 막았다.

남은 일은 모에를 보충하는 것뿐이다.

“알겠어. 작업장까지 데려다줄게.”

“괜찮아요(모에 보충에 방해돼).”

“교실로 돌아가는 김에 데려다준다고. 에릭 선배가 쫓아올지도 모르잖아.”

아, 그건 곤란하다.

"……집합 장소는 대강당이에요."

"기림 교수님 교실하고 가깝네. 잘됐다."

기림 교수! 그 고유명사에 나도 모르게 나르를 빤히 쳐다보고 말았다. 약간 질려하는 것 같았지만 지금 나는 숙녀가 아니니까 괜찮다.

"왜, 왜 그래?"

"아, 저어, 기림 교수님이라면 마법진 연구를 하시는, 키가 크고 갈색 머리카락을 가진 분이신가요?"

"……너…… 아니, 갈색 머리 아니야."

"그렇군요……."

유감이었어요. 왕성에 간 이후로 기림 선생님, 마리아 선생님과는 모두 연락이 끊긴 상태였다.

구속도 심문도 하지 않았으니 걱정 말라고 폐하께서 말씀하셨으니 무사하실 거라 생각하지만, 저의 조심성 없는 말 때문에 궁지에 몰린 두 분께는 아무리 사과해도 모자라다.

평민이 된 지금은 필시 귀족 신분일 두 분을 만날 수 있을 리 없다. 마지막 희망으로 림 도사님과 마리우스 선생님에게 전언을 부탁했지만 소속과 직급을 모르면 만날 수 없다.

그 림 도사님과 마리우스 선생님은 연구 분야가 같은 것이 신경이 쓰이는지 선생님에 대해서 자꾸만 듣고 싶어 했다.

다정한 건 누구냐, 좋아하는 건 누구냐, 만나고 싶은 건 누구냐.

두근거렸던 건 누구냐, 안아줬을 때 기뻤던 건 누구냐. 연구 이야기로 시작해서 최종 정착지는 늘 그런 이야기였다.

일을 막 시작했을 때 마리아 선생님이 동경하는 여성이고, 기림 선생님이 첫사랑이라고 대답한 이후부터 림 도사님과 마리우스 선생님이 이상했다.

최근에는 가정부 일이 비는 시간까지 림 도사님과 마리우스 선생님이 경쟁하듯 빼앗아간다.

청소, 빨래, 식사 준비를 하고 남는 시간에는 진 해석을 해야 했고, 부계 식물에게 공격당해 기절하기도 했다. (눈을 뜨니 림 도사님이 간호하고 있었다)

빨래도 청소도 정리정돈도 다 된 저택에서 시키시는 건 예의 그 용도를 알 수 없는 가발이나 드레스가 수납된 방 청소뿐이에요. (뒤돌아보면 마리우스 선생님이 무언가를 말하고 싶은 듯이 서 있다)

하지만 흑장미는 내일의 모에를 위해 노력한다.

아란은 여덟 살이고 아직 만날 기회가 없지만 여기서 열심히 해서 두 분께 인정받는다면 아란과의 농밀한 만남으로 이어질 거라 믿는다.

아란이 내 직장을 방문해 림 도사님을 첫눈에 반하게 만드는 걸까. (두근두근)

아니면 마리우스 선생님에게 박제적 의미로 사랑받을까. (다른 의미로 두근두근)

림 도사님이 아란의 턱을 들어 올려 입맞춤하는 명장면과 마리우스 선생님에게 구애받는 장면을 떠올리고 몸부림쳤다.

완전히 망상에 빠져 있는 사이에도 나르를 뒤따라 강당으로 향하고 있었다.

그때였다. 파샤! 하고 물이 쏟아지는 소리가 주위에 울려 퍼졌다.

그 소리에 무심코 멈춰 섰고, 나르도 멈춰 섰다.

서로 시선을 마주치고 잘못 들은 것이 아니라는 것을 알고, 물소리가 난 방향으로 향했다.

가까워짐에 따라 야비한 웃음소리가 들려왔어요.

"꼴사나워. 쌤통이다!"

"그런 꼴로 전하 앞에 나설 생각이야? 썩 돌아가. 죄인 아들 주제에!"

"그런 물에 빠진 생쥐 꼴로는 전하를 뵐 수 없지."

심술궂은 목소리들이 들려왔다.

"나쁜 말은 안 해. 아란 그레이. 당장 전하 앞에서 사라져. 너처럼 하찮은 놈이 전하를 곁에서 모시는 일 따윈 있어선 안 돼."

"진짜. 어떻게 전하의 환심을 산 거야? 죄인 아들 주제에."

—나의 아란이, 물에 빠진 생쥐 꼴이 되어 있었다.

게다가 자세히 보니 이 녀석들은 조금 전에 나를 할망구라고 불렀던 귀족 도련님이었다. 나를 욕하는 건 어쩔 수 없지만 이 세계의 주인공인 아란을 괴롭히다니 이 무슨 주제도 모르는 멍청이들일까.

앞으로 평생 따라다닐 부모의 죄와 부모를 선택할 수 없는 사항을 가리키며 사실보다 더 나쁘게 매도하는 거다. 그들의 심보에 현기증이 날 정도로 분노를 느꼈다.

그 낯가죽을 벗겨 소금을 바른 후 뜨거운 물을 끼얹고 괴로움에 몸부림치는 녀석들을 사흘 정도 굶긴 들개들이 갇힌 우리 속에 던져 넣고 싶었다. 분명 친구들끼리 굉장한 연계 플레이를 보여주겠지.

내가 뛰어나가려는 것을 나르가 막았다.

왜 막느냐며 노려보는 나에게, 나르의 진지한 눈빛이 박혔다.

“여자가 구하려고 하면 저 아이의 평판이 나빠질 뿐이야. 게다가 저 정도도 이겨내지 못하면 앞으로 여기서 생활할 수 없어. ……그래. 정 안 되겠다 싶으면 내가 나서줄 수도 있어.”

큭. 이 거만한 눈빛. 밉다. 나르 주제에! 서로 노려보면서 상대가 어떻게 나오는지를 보고 있자, 시선 끝에서 아란이 바람 속성 마법을 사용해 옷을 말리고 있었다.

세상에, 아란이 마법사로 성장했다!

“바람을 일으켰어?”

“마법을 쓸 수 있었냐!”

“말도 안 돼. 이, 이런 애송이가?”

완전히 말린 후에 아란이 바람에게 예를 표했다. 바람이 기분 좋게 아란의 머리카락 사이를 돌아다녔다. 바람과 장난치는 미소년……! 어머머, 그림 같은 장면이다.

내가 아직 혼란 속에 있을 때 아란은 눈을 가늘게 뜨고 장난을 친 선배들을 보고 있었다. 기분 탓인지 선배들이 움츠러든 것처럼 보였다. 그렇죠. 마법 특성을 꽃피운 자와 발휘조차 못 한 채 세월만 흘려보낸 자는 차이가 너무 컸다. 마치 호랑이와 새끼고양이처럼!

시선 끝에서 아란이 아름답게 웃었다.

하마터면 코피를 쏟을 뻔했다. 코 안이 아파.

"그래요. 선배들 말처럼 나는 분명 애송이에 죄인의 아들이에요. 하지만 나는 선배들이 그걸 인정해줘서 기쁘네요. 선배들의 눈빛은 내가 틀림없이 아클라우스가의 일원이라고 말하고 있어. 나를 누님의 남동생으로 인정해주니 정말 기뻐요. 모두에게 인정받을 때까지 더 열심히 해야겠네요."

멋지게 미소 짓는 아란은 정말 주인공이었다.

정말 「심쿵」이였다. 다시 내 마음을 훔쳐간, 루○도 울고 갈 훌륭한 솜씨였다!

실제로 대놓고 욕을 해대던 녀석들이 얼굴을 붉게 물들였다. 하지만 반해도 소용없다. 크르트 님이 있으니까.

"흐, 흥! 마법 좀 쓸 줄 안다고 우쭐거리지 마!"

중심에서 폭언을 퍼붓던 녀석이 그래도 물러서지 않고 욕을 했다.

아~~~. 하지만 마법 소양이 출세에 막대한 영향을 끼치는 건 명백한 사실이다. 오히려 선배랍시고 오만하게 굴면서 계속 괴롭힌다면 본인들의 출세 길에도 영향이 있을 것이다.

실제로 뒤에 있던 애들은 다 물러났다.

"어, 어이. 마법을 쓸 줄 안다는 말은 못 들었다고."

"나, 난 상관없어! 그냥 따라만 온 거지 뭘 어쩔 생각은 없었어!"

"말이 다르잖아! 그래서 내가 싫다고 한 거야! 사람 만나는 걸 싫어하는 전하가 자진해서 곁에 둔 녀석이니 쓸 만한 녀석인 게 당연하잖아!"

하하하. 같은 편의 분열. 황급히 측근에게 말했지만 이미 늦었다.

"흠. 저 애가 아클라우스의 아란? 전하가 드물게 곁에 둬서 찍혔던 모양이네."

사촌, 쓸모없어어엇!

무의식중에 사촌을 욕하고 있는데, 나르가 내 얼굴을 빤히 들여다보았다.

"왜요?"

"아니. 도와줬으면 좋겠어?"

"네?"

"저 녀석. 도와줬으면 좋겠어?"

"……아까 그쪽이 그랬잖아요? 이 정도도 극복 못 하면 미래는 없다고."

"응. 그랬지."

"저 애는 어때 보여요? 이 정도 패거리는 상대도 안 돼요. 그렇죠? 그러니까 나는 안심하고 일하러 갈래요."

"아까는 뛰어나가려고 했으면서."

"아까는 아까, 지금은 지금이에요!"

건물 그늘에서 몰래 내다보다가 약간 큰 나르에게로 시선을 옮기자, 나르가 긴 속눈썹을 내리깔고 얼굴을 살짝 붉혔다.

도자기 인형을 닮은 미소녀이 그런 행동을 하면 반할 남자가 수두

룩할 텐데. 그런 나르의 마음까지 빼앗다니…… 후. 죄 많은 아란.

"뭐, 앞으로 이런 일이 없게 내가 지켜볼게. 너, 다음엔 언제 와?"

"다음 주요."

"그래. 그럼 또 보자. 곧장 가면 대강당이야. 잠깐, 얼굴은 제대로 가려."

뭐야. 나르가 신경질적인 캐릭터였었나?

나르가 얼굴을 천으로 감싸, 언뜻 보면 청소 중인 수녀로밖에 보이지 않았다.

"그럼, 고마웠어요. 나월 님."

하지만 다음은 없다.

나는 수도원에 돌아가면 아란에게 굉장한 짓을 한 선배들을 위해 마음을 담아 선물을 만들기로 마음먹었다.

아란이 스스로 물리쳤다고는 해도 충격적인 따돌림 현장을 목격했고 나의 천사 아란을 물에 빠진 생쥐로 만들었으니까 화가 나는 게 당연하잖아?

심정을 담은 자수 문구는 무엇으로 할까.

유감천만, 영고성쇠, 악행탄로, 성자필쇠 정도가 좋을까.

완성되면 다음 청소 봉사 날에 영험한 부적으로 줘야겠다. 「당신」을 좋아하는 부끄럼 많은 소녀를 가장한 편지라도 곁들일까. 후후, 어서 만들고 싶다.

봉사 활동이 끝나서 오후에는 림 도사님의 저택으로 향했다.

저택에 들어서니 그저께 청소한 저택이 이미 부계의 바다로 변해 있었지만 평소와 다름없는 일이라며 청소를 시작했다.

청소의 기본대로 위쪽에서 아래쪽으로 먼지를 다 떨어뜨렸을 무렵에는 사용한 먼지떨이는 완전히 부계 식물에 의해 녹아 있었다.

구석의 먼지를 쓸어내고 굽이치는 부계 식물의 숲을 지나 폴폴 날아가는 포자를 정성스럽게 다 쓸어냈을 무렵에는 사용하던 빗자루는 부계 식물과 동화되어 촉수를 꿈틀거렸다. 달라붙기 전에 빗자루를 놓자, 마치 마법사의 빗자루처럼 혼자서 부계 속으로 껑충 뛰어들어 사라졌다.

매번 이런 식이지만 나는 용케도 녹지 않는구나 하고 감탄했어다.

림 도사님이 나를 저택에 불러들였을 때 뭔가를 한 것 같지만 마치 그때 기절한 바람에 자세한 것은 모른다.

하지만 부계 식물들이 나를 알아봐줘서 다행이라고 생각한다. 포자 공격을 받고 기절한 보람이 있었다.

오늘 도사님이 초대하지 않은 손님들이 부계 식물들에게 "어?" 하고 "히이익." 하고 "크으윽." 같은 일을 당했다. 그걸 보고 절실히 그렇게 생각했다.

가지고 들어온 날붙이는 전부 녹아 있었던 것 같다. 부계 식물의 촉수에 휘감겨 보이지 않지만 옷도 전부 녹은 게 분명하다.

"엘로즈, 무섭게 했구나."라며 림 도사님이 내 두 눈을 손으로 가려주셨지만 이 정도는 괜찮다. 전생에 부녀자였던 나에게 그 정도는 아무것도 아니다.

그보다 부계 식물의 동료가 된 빗자루와 먼지떨이, 쓰레받기들이 기뻐하며 손님을 청소해줬다. 좋구나.

내가 사용할 청소 도구가 매일 새로 맞춰지지만 조만간 부계 식물들이 청소 도구를 만들어 내주기를 몰래 바라고 있다. 내가 휘감겨서 "어?"하는 상황만 없다면 괜찮을 거다. 언제 림 도사님에게 상담해봐야겠다.

기분을 새로이 하고 양동이를 꺼내 마루에 놓자, 물이 찰랑댔다.

물을 긷지 않아도 되니 이 마법진도 꼭 배우고 싶다.

깨끗하게 비질을 한 방 안쪽부터 걸레질해 반짝반짝 광을 내면 앞다투듯 나타난 부계 식물들이 방을 점령해 원점으로 되돌아간다. 하지만 기분 탓인지, 기분 좋은 듯 잎이 하늘거려서 만족해준 거겠지, 라고 생각한다.

의미 없다는 생각은 하지 않는다.

얼추 깨끗해졌다는 만족감을 안고 부엌으로 향했다. 다음은 식사 준비다. 저녁 준비와 다음 날 아침 식사용 채소를 썰었다.

손을 씻은 다음 채소를 썰고 채소가 듬뿍 들어간 수프를 끓였다.

림 도사님이 칭찬해준 수프는 엘프용이라서 고기는 절대로 사용하면 안 된다. 우유도 못 써서 대신 두유를 넣어 완성한다. 달걀이 되는 건 천만다행이다.

오늘은 실험을 거듭해 엘프콩으로 만든 두부를 만들었다. 간수로 굳히는 건 불가능해서 전분으로 엘프 두유를 탱탱하게 굳힌 것이다. 입맛에 맞으셨으면 좋겠다. 싱싱한 비취색 두부에 색과 맛을 더해 엘프들이 약으로 사용하는 사란 꽃을 곁들였다. 함께 먹으면 얼얼하게 시원한 매운맛이 혀를 자극하고, 이어서 엘프콩 특유의 걸쭉한 단맛이 혀를 만족시킬 거다. 림 도사님의 취향에 맞으면 레시피를 아란에게 슬쩍 알려줄 생각이다. 목표는 공의 입맛 사로잡기!

빵은 왕실에 납품하는 빵집에서 갓 구운 것을 보내준다.

연구실에 틀어박혀 보내는 낮에는 한 손에 들고 먹기 편한 샌드위치와 컵 수프가 메뉴로 정해지다시피 했다. 질리지 않게 재료를 바꿔주고 있다. 연구에 몰두하신 것 같으면 나는 부엌에서 같은 것을 먹으려고 하지만 오늘「도」 연구실로 오라고 하셨다. 한자 모양을 종이에 적으면서 둘이서 점심을 먹었다.

한자에 대해서는 어쩔 수 없이 꿈에서 봤다고 말했다.

지금 현재를 생각하면 저로서는 이쪽이 꿈속 같은 기분이다.

림 도사님은 내가 하는 농담에도 진지하게 귀를 기울여주셨다.

"흠. 마치 꿈속에서 신께 말을 배운 것 같군. 이건 모양이라기보다 잘 만들어진 특수 언어 같아. 방향성이 일치하는 부분이 있어…… 예를 들면 이 모양."

림 도사님은「안전」이라는 두 글자를 가리켰다. 정답. 같은 글자다.

"하지만 이 모양은 다르군. 모양마다 뜻이 다른 건가?"

「교통」과「가내」는 방향성이 일치할 리가 없다.

"정말 재밌군. 아주 흥미로워. 엘로즈."

"고맙습니다."

"나로서는 더 흥미로운 대상이 눈앞에 있지만 말이야."

“어머, 호호호.”

무……무서워! 무섭다고. 그렇게 머리부터 갈라서 한자 정보를 끄집어내고 싶나? 마리우스 선생님만큼 미친 사람이었다니. 모르는 게 좋았어.

바들바들 떨자 훗, 하고 미소 공격을 해왔다. 더욱 밀어붙이듯 눈을 가늘게 뜨고 머리부터 발끝까지 훑듯이 쳐다보았다.

……보……보지 말라고(그렁그렁 바들바들). 이 머리를 깨봤자 나올 정보는 대단한 게 아니라고. 오히려 다 썩었다고. 아란과 크르트 님의 아항 웃흥이 9할을 차지하고 있고, 나머지 1할이 다른 커플이라는 유감스러운 것들밖에 안 들어 있다고.

기림 선생님, 살려주세요. 그런 생각을 하며 무심코 컵을 꼭 쥐고 기도했다. 진지한 공의 진지한 표정은 무서워.

점식 식사가 끝나면 림 도사님의 양해를 구한 뒤 아이템 제작에 집중했다.

자는 동안에 하늘의 계시가 있어서 다음 주에 도련님들에게 선물할 용으로 「인과응보」「즉각 천벌」「신상필벌」 같은 글자도 한 땀 한 땀 떴다.

후후후. 소소한 저주가 좋아요.

길을 걷다가 새똥이 떨어진다거나 실수로 개똥을 밟고 재수 없어, 라거나.

예습하지 않은 부분을 지적당하거나 예습해온 부분이 다른 페이지라거나 하루에 열 그릇만 파는 학식 한정 런치 메뉴가 눈앞에서 매진된다거나 어제 읽기 시작한 추리 소설의 범인을 친구와 잡담 도중에 알게 된다거나 시계가 멈춰서 중요한 수업에 늦는다거나.

난 몰라~. 상상만 해도 즐거워!

오늘은 살짝 블랙한 흑장미다. 아, 흑장미는 블랙이 규정이다.

룰루랄라 콧노래를 부르며 수를 놓고 있었더니 림 도사님이 빤히 보고 있었다.

“엘로즈, 즐거워 보이네.”

“어머, 네.”

어라, 살짝 분노 모드 같다는 느낌이 들었다.

“그건 뭐지? 지난번에 봤던 부적과는 다른 모양 같은데.”

“아, 네. 이건 특별한 거예요.”

“……호. **특별**이라.”

한껏 가라앉은 목소리. 엄청난 압박감이다. 림 도사님, 왜 그러는 거야?

어째서 이렇게 톤이 낮아진 거지? 육식동물의 레이더망에 걸린 소동물 같은 위기감을 느꼈다.

저주 아이템은 만드는 사람에게도 영향을 주는 걸까. 자기 꾀에 자기가 넘어간다는 말이 있다. 주의해야겠다.

다음 날에는 마리우스 선생님의 저택에서 근무했다.

말끔히 정돈된 저택에는 먼지 하나 없었다. 설마 마리우스 선생님, 내가 오기 전에 청소한 건가?

마리우스 선생님은 먼저 나를 진찰실로 불렀다.

선생님이 말하기를.

"림 도사의 숲에 들어갔다가 무사히 나온 사람은 거의 없으니까." 그것도 당연하다.

"어제 방문하신 손님 분들이 호된 꼴을 당하셨더라고요……."

아득한 눈으로 그렇게 알리자, 마리우스 선생님의 눈빛이 달라졌다.

"림 자식, 숙녀에게 보여줄 만한 것이 아닐 텐데."

마리우스 선생님과 림 도사님은 오래 전부터 친구 사이였다. 마리우스 선생님은 도사를 림이라고 부르고 림 도사님은 마리우스 선생님을 마리우스라고 불른다.

남자들의 우정이라는 거다. 정말 동경한다. 하아하아.

그 후로 아침 첫 진찰을 받았다.

온몸을 꼼꼼히 살펴봐주셨다. 림 도사님 저택에 있는 부계 식물은 림 도사님의 뜻을 따르지만, 만에 하나라도 종자가 옮겨 붙었으면 큰일이다.

"걱정해주셔서 고맙습니다, 마리우스 선생님. 하지만 괜찮아요. 림 도사님이 매번 신경 써주시거든요."

돌아가기 전에 반드시 마법을 걸어주세요. 나라 제일의 마법사가 정화와 수호의 마법을 걸어주고 있어요.

"……그래서 걱정이라는 거야."

빙긋 웃으며 대답하자 마리우스 선생님이 깊이 한숨을 쉬었어요.

부계 식물에 너무 익숙해져도 안 된다. 뭐, 확실히 그런 것에 익숙해지면 안 된다. 어, 히이익, 크으윽 이니까 말이다. 나는 완전 말짱하지만.

"자, 겉옷을 벗고 여기 앉아."

"네."

나라 제일의 의사 선생님의 뜻은 거스를 수 없다. 대강 진찰을 받은 뒤에 부엌으로 향했다.

마리우스 선생님은 딱히 취향이랄 게 없어서 필요한 영양분을 계산하고 균형 잡힌 식단을 준비하는 데 유념하고 있다.

오늘은 점심 준비, 야식 준비, 다음 날 아침 준비를 했다.

마리우스 선생님의 직업은 폐하의 건강을 살피는 것이라서 당연히 성으로 출근한다.

그 사이에 청소를 하고 저택 유지 관리에 힘쓸 생각이었지만 요즘에는 마리우스 선생님의 수행원이 되어버렸다.

마리우스 선생님이 아침 일찍 청소하는 것도 그래서인 것 같다.

그리고 오늘도 마리우스 선생님의 가방과 도시락을 들고 성에 따라갔다.

그날, 두 번 다시 오지 않겠다고 맹세했던 성으로 말이다. ……으음, 괜찮은 걸까.

"로즈, 이 선반에 있는 진단서를 정리해줘."

"네, 선생님."

"그리고, 나 말고는 아무도 들여선 안 돼. 부재중 팻말을 걸어둘 테니까. 마도 통신이 와도 받을 필요 없어."

"……네, 선생님."

아니, 그건 안 되죠. 마도 통신은 긴급 사태용 통신이잖아요. 거의 사용되지 않지만.

"그럼 다녀올게."

"다녀오세요."

"……응."

그렇게 활짝 웃지 마세요. 꼭 신혼부부 대화 같아서 부끄러워요. 마리우스 선생님을 연모하는 아가씨가 듣는다면 제 목숨이 위태로워질 거예요.

림 도사님과 마리우스 선생님은 성에 사는 독신 여성들의 왕자님이다.

결혼상대로는 우열을 따지기 힘들 정도로 벌이도 좋고 왕의 신임도 두터운 이상적인 남자니 당연하다.

잘생기고 스타일 좋고 성격 좋고 집안까지 좋으니 여기저기서 가만 두질 않는다.

그래서 정말 피곤한 삶이다.

마리우스 선생님이 상주한다면 편하겠지만…… 아, 왔다.

똑똑똑. 노크 소리가 방 안에 울렸다.

"선생님, 선생님. 급한 환자예요."

거짓말.

그렇게 확신하지만 어쩌겠어요. 나는 보호색을 거울로 확인했어요. 두건 됐고! 먹색 원피스 됐고! 얼굴을 거의 다 가릴 정도로 큰 마스크를 쓴 뒤 문을 열었다. 예상대로 아가씨가 서 있었다.

"수녀님. 마리우스 선생님은 어디 계시죠?"

그녀는 나를 번뜩이는 눈으로 노려보고 있었다. 무서워.

"조금 전에 폐하를 진찰하러 가셨어요. 그 후에는 기사단에 가신다고. 급한 환자시라고요? 지금 알현실로 가면 잡을 수 있을지도 몰라요. 제가 불러올 테니 아가씨께서는 여기서 기다려주세요."

그렇게 말한 뒤, 달려 나가려는 참이었다.

"잠, 잠깐! 폐하의 진찰을 뒤로 미룰 수는 없어요!"

"하지만 급한 환자라고."

"괘, 괜찮아요. 제 주인도 이해해주실 거예요. 다른 날 다시 올게요."

"그럼, 댁이 어디시죠? 선생님이 돌아오시면 왕진을 갈게요."

"어머, 세심하셔라. 그럼 수녀님, 부탁해요."

"네."

'그렇다고 꼭 선생님이 가시는 건 아니랍니다?'

꾀병이 일상이라면 마리우스 선생님이 가실 리 없어요. 말은 전하겠지만.

미소는 0원이다. 마스크 아래는 움찔도 하지 않지만 어림잡아 이런 일을 하루에 수십 번은 반복한다. 가끔은 귀족 시녀들이 충돌해서 말다툼이 벌어지기도 하니 꽤 스릴 있는 일이다.

그리고 오늘, 마지막으로 찾아온 아가씨는 세상에 릴렌이었다.

"아가씨! 무사하셨군요!"라며 끌어안고 울음을 터뜨린 릴렌을 달랜 뒤, 지금 일하고 있는 저택의 아가씨에 대해서 들었다. 마리우스 선생님을 무척 좋아하는 미워할 수 없는 아가씨라고 했다.

아클라우스가에서 일했던 다른 시녀들도 다들 직장을 구해 일하고 있으니 걱정 말라고 릴렌이 말해줬다.

"이것도 다 아가씨가 저희를 가르쳐주시고 폐하께 말씀해주셨기 때문이라면서 다들 열심히 일하고 있어요."

"어머, 잘됐구나."

돼지가 팔아넘길 작정으로 싼값에 데려온 가난한 영애들을 다시 제대로 교육시켜 어디에 내놓아도 부끄럽지 않은 숙녀로 만들어 왕성에서 만성적으로 부족했던 하급 시녀로 소개했던 것이 시작이었다.

확실히 보강된 교육의 성과로 모두들 다음 고용주를 만났다고 하니 무엇보다 다행이었다.

"릴렌, 훌륭하게 성장했구나."

"아, 아가씨이이이이이."

어머, 나까지 울컥했다.

릴렌을 배웅하고 기분을 새로이 해 마리우스 선생님을 맞이할 준비를 했다.

오늘은 기사단의 건강 진단이 있는 날이니 마리아 선생님의 추천 차를 내릴까. 건장한 남자들에게 둘러싸인 슬림 마초라. 후후.

도시락을 준비했을 때 마리우스 선생님이 폐하와 함께 나타났다.

어? 눈을 쓱쓱 비볐다. 폐하 뒤에 할아범의 모습이 보였다.

어머, 잘됐다. 다시 일하게 됐구나. 그렇게 생각하면서 차를 만드는데 세상에 폐하가 기미상궁도 없는데 내 도시락을 가까이 끌어당겨 먹기 시작했다.

머엉.

"폐, 폐하. 변변치 못한 거예요. 이, 이건 제가 만든 도시락……! 안 돼요. 폐하! 하, 할아범! 뭘 하고 있어. 말리지 않고! 할아범!"

"폐하께서는 아가씨가 만드신 도시락이 부러우셨던 모양입니다."

"다들 자랑하는 소리만 들었으니까. 한 번 먹어보고 싶었어."

"하하하. 어떠십니까. 생각 이상이지요?"

"음. 맛있군."

"할아범도 참. 웃지만 말고 폐하를 말려줘!"

"그렇게 말씀하셔도 아가씨가 두고 가셔서 저의 현재 주인은 폐하시라. 게다가 이렇게 좋아하시는데 그 기쁨을 빼앗을 순 없지요."

두고 간 것을 방패삼아 할아범이 웃으며 거절했고, 마지막 비빌 곳으로 올려다본 마리우스 선생님도 포기하라며 타일렀다. 결국 내 편 하나 없이 내 도시락은 다 비워졌다.

그리고 다음에 성에 올 때는 마리우스 선생님 것 말고도 도시락을 하나 더 만들게 됐다.

폐하와 할아범을 배웅하고, 마리우스 선생님의 건강 진단 길에 동행해 기사단 대기소로 향했다. 가는 김에 재상이 주문했던 수호의 팔찌와 정화의 팔찌가 완성돼서 납품했다.

돌아오는 길에 검술 훈련을 하는 신입 무리 속에서 복숭앗빛 에로스 대원을 발견했다.

그는 장군의 마음에 들었는지 장군에게 웃는 얼굴로 쫓기고 웃는 얼굴로 칼 공격을 받고 웃는 얼굴로 내동댕이쳐지고 웃는 얼굴로 짓밟히고 있었다.

소설에서도 뚜렷한 두각을 나타내지만 역시 장군에게 인재로 인정받은 거다. 나는 무심코 강하게 살자, 라고 굳게 다짐했다.

그 후, 마리우스 선생님을 노리고 의무실에 쳐들어온 귀족 시녀들을 내쫓고 마리우스 선생님께 차를 만들어드린 뒤 얼마 안 되는 쉬는 시간에 예의 그 특별한 부적을 완성했어요.

"로즈, 그건 뭐지?"

마리우스 선생님은 성내에서는 늘 나를 수녀님이나 로즈라고 불렀다. 엘로즈라는 이름은 큰 소리로는 말할 수 없는 모양이다. 그야 그 돼지의 딸이니까 말이다.

"부적이에요."

"폐하와 재상에게 부탁받은 것과는 다르군."

"네. 특별한 부적이에요."

라나 뭐라나. 아란을 괴롭힌 녀석들에게 선물할 특별한 거니까!

"호. 누구한테 주려고?"

"주말에 학원에서 찾아야 해요."

그야 몇 학년인지도 몇 반인지도 못 알아냈거든. 하나부터 찾으려면 힘들 거다.

"아니, 학원에는 언제 갔었어? 아란과 만난 거야?"

마리우스 선생님의 눈빛에 나는 숨을 삼켰어요.

의심받고 있어!

아란과 몰래 만나 아클라우스가의 부흥을 꾀하는 건 아닌지 의심받고 있어!

무서운 흑장미의 오라! 나도 모르는 사이에 악역의 오라가 새어나온 걸까!

아란을 끌어들여서 부흥할 생각 같은 건 하지 않았다. 오히려 몰락 환영이다……라고 말하고 싶지만, 말할 수 없는 이 딜레마.

침착해. 침착하자. 엘로즈.

피할 수 있어. 괜찮아!

"봉사 활동으로 선배들과 방문할 기회가 있었어요. 처음에는 아란과도 만날 수 있을지도 모른다고 생각했어요."

여기서 눈을 살짝 내리깔고 남동생을 그리워하는 누나처럼 쓸쓸하고 우울한 표정을 짓는다.

악역 플래그 따위, 아무리 고개를 들어도 기합과 근성으로 꺾겠어.

"……하지만 이상하잖아요. 그 집에서 한때 함께 산 게 다인 제가 찾아가도 민폐일 뿐이겠죠. 저는 단지 아란이 건강하게 잘 지내는지 걱정이 됐던 것뿐이에요."

그 김에 크르트 님과는 잘 지내는지 걱정돼서 몰래 훔쳐본 것뿐이다.

그저 모에 보충에 힘쓴 것일 뿐, 소설의 흑장미처럼 뒤에서 집요하게 일 같은 건 꾸미지 않으니 안심하세요.

그렇게 생각하면서 마리우스 선생님을 올려다보며 덧없는 미소를 지었다.

"……아란은 씩씩하게 지내고 있어. 나도 림도 그 아이는 신경 쓰고 있어. 그리고 아란은 민폐라고 생각하지 않을 거야. 안심해. 역시. 그럼 그 부적은 아란에게?"

험악했던 마리우스 선생님의 눈빛이 살짝 부드러워졌어요.

부흥 의혹은 해제된 걸까요?

나는 안심하고 마리우스 선생님의 질문에 웃으며 대답했다.

"아, 아뇨. 아니에요."

"하지만 주말 봉사 활동 중에 로즈가 찾아서라도 건네고 싶은 상대잖아?"

"네, 맞아요."

끝까지 추격해서 파멸시키고 싶다.

"그럼…… 기림 선생인가? 아니면 마리아 선생? 그 사람이 학원에서 교사로 일하는 건 들었겠지?"

뭐 라 고 요 ?!

"마리우스 선생님, 두 분이 학원에 계세요?"

나르! 갈색 머리가 아니라고 했었잖아! 게다가 마리아 선생님까지!

"응. 실은 이번에 왕명으로 두 사람 모두 학원에서 교편을 잡게 됐어. 아란을 가르치기 위해서."

"어머나! 그럼 아란은 학원에서 두 분을 만날 수 있는 거군요!"

부러워! 역시 주인공!

"그렇지. ……그런데 두 사람에 대해서는 누구한테 들었어? 림한테서?"

"아뇨. 뵐 기회가 없어서 곤란하던 차였어요. 주말에는 학원에서 두 분을 찾아보려고요."

"……그래. 그럼 선물 주인은 기림 선생도 마리아 선생도 아니라는 거로군. 지난주 봉사 활동 때 누굴 만났어? 그 부적은 누구한테 줄 거야?"

"그게, 이름도 소속도 모르는 학생이에요."

아란에게 물을 끼얹고 협박했던 멍청이들이다.

"……아. 그저 한 번 본 이름도 성도 모르는 상대에게 로즈의 특제 부적을 말이네……."

눈만 웃고 있지 않은 마리우스 선생님의 얼굴은 메두사처럼 무서웠다. 이건 어떤 역린을 건드린 걸까. 정신을 뿌리째 갉아 먹힌 것 같았다.

부흥 의혹이 다시 떠오른 걸까. 하지만 피한 거죠? 그렇죠?

자수바늘을 쥔 손이 후들거렸다.

손 안의 글자는「인과응보」.

역시 저주의 부적을 만드는 건 이번을 마지막으로 만들지 않는 게 좋을 것 같다.

그럭저럭 시간이 흘러 점심시간이 되었다.

기뻐하며 의무실로 오신 폐하께 만들어온 도시락을 드렸다.

내심 떨렸다.

아클라우스가에 대한 귀족의 혐오감은 정말로 뿌리 깊은 데가 있었다. 귀족의 의무를 저버린 아클라우스가의 당주 부부가 못 견디게 증오스러운 거다.

그 돼지의 딸이!

폐하께 기미상궁도 거치지 않은 음식을!

경악하는 높으신 분들의 얼굴이 떠올랐다. 상상하기 어렵지 않았다.

「겨우」「유감스럽게도」 혈연으로 맺어졌다고는 해도 죄인의 딸이 만든 음식을 폐하께 바치는 것은 하늘에 침을 뱉는 것과 같은 행위라며 기뻐하며 들쑤시러 올 것이다.

반론할 수 없다.

할 수 없지만, 폐하께서 원하시니 잠자코 올리는 수밖에 없다.

후후. 후후후…… 들키면 목이 달아날 거다…….

메마른 웃음을 지으면서 각오를 굳혔다. 들키지 않으면 그만이다.

오늘의 메인 요리는 닭가슴살 사란 꽃 무침이다. 곁들일 음식으로는 채소 생선볶음과 흰 살 생선에 된장소스를 발라 구운 요리를 준비했다. 간단한 국에는 으깬 새우 살을 건더기로 넣어봤다.

"오늘도 맛있구나, 로즈."

"감사합니다, 폐하."

비공식 점식 식사라 식탁을 차리는 일도 내 몫이다. 폐하와 마리우스 선생님 앞에 네모난 도시락, 이른바 일본식 고급 도시락을 놓고 국그릇과 바구니에 담긴 빵을 놓았다.

폐하는 처음부터 「조카딸과 함께하는 점식 식사」를 원하셨지만 그것만은 양해해달라고 부탁해 지금에 이르렀다.

폐하와 마리우스 선생님의 식탁에서 열심히 시중을 들었다.

물을 따라주고 와인을 보충해주고 빵을 나르고 요리를 설명하고 식후평을 들었다.

식탁 위의 식기를 치우고…… 이 도시락 상자에도 상당히 흥미를 보이셨다. 식후 차로 원하시는 것을 여쭈어 보고 내어드린 다음에야 한숨을 돌릴 수 있었다.

그 후 별실에서 내 몫의 도시락을 열었다. 하. 내가 만들었지만 맛있어 보여. 두 손을 모으고, 잘 먹겠습니다.

우물우물 먹으면서 일본 요리와의 위화감을 어떻게 없앨 것인지에 대해 고민했다.

육수가 있었으면 좋겠어. 간장도. 가다랑어포는 무리일까. 다시마는 있을지도.

"로즈, 그건 뭐니?"

"켁."

우아하게 차를 마시며 옆방에서 대화를 나누고 있던 두 분이 어느새 내가 양손으로 받쳐 든, 윤기가 도는 소금 주먹밥을 처다보고 있었다. 주먹밥은 예술이다!

"처음 보는 요리군. 림 도사님이 말했지만 로즈가 만드는 요리는 정말 흥미로워."

"아, 네. 림 도사님의 입맛에 맞는 곡물이 많지 않아서 한창 다양하게 시도해 보는 중이에요."

활짝 웃으며 주먹밥을 입 안에 쑤셔 넣었다. 증거 인멸. 우물우물, 꿀꺽

그래요, 이건 식사가 아니라 실험이다. 그러니 폐하, 당신이 흥미롭게 들여다봐도 안 줘. 못 줘.

"도사는 숲의 엘프니까. 고기나 생선, 우유도 안 먹는다고 했었나."

"네. 이건 북쪽의 메마른 땅에서도 구할 수 있는 이리라는 곡물과 토저라는 곡물을 삶은 거예요. 북쪽 지방에서는 식용으로 쓰지만 중앙에서는 거의 볼 수 없어요."

"호, 맛있어?"

"어떻게 조리하느냐에 달렸죠."

이 나라에서는 가루를 내 경단으로 만들어 먹고 있었다. 게다가 하층민이 기근이 들었을 때 먹는 비상식 취급이어서 묵은쌀 냄새가 빠지지 않아 곤란했다.

무엇보다 「밥을 짓는」 조리법이 확립되지 않은 이유가 컸다.

—일본식 고급 도시락에는 흰 쌀밥을 넣고 싶었다. 빵은 안 된다. 쌀밥이 절실했다.

식료품점이 아니라 가축 사료점에서 발견했을 때는 다른 의미로 눈물이 날 뻔했다. 쌀이라고요, 쌀! 사료가 아니라고! 쌀님께 사과해!

그대로 밥을 지어도 맛이 없는 곡물이었기 때문에 깨끗이 씻어

서 두 종류를 섞어 지었더니 맛있어졌다. 오랜만에 먹는 쌀에 반가움을 느끼고 있었는데 너무 맛있게 먹는 바람에 도사님이 흥미를 보였다.

맛을 보여달라고 말씀하셨을 때는 정말로 초조했다.

도사님께 맛보일 만 한 게 아니라며 거절했지만 대현자님이 떼쓰기를 시전했다.

전혀 말이 먹히지 않아서 원재료를 솔직히 고백했다. 역시 빈민이나 닭 모이 취급을 받는 곡물은 먹지 않을 거라고 생각했지만…….

—림 도사, 이 만만치 않는 사람.

"엘로즈, 엘프에게 곡물은 생명 그 자체야. 누가 먹는 건지는 상관없어. 무엇보다 그런 걸 결정하는 건 인간들이잖아? 모름지기 엘프에게 식물이란 누군가의 생명이 되기 위해 태어난 굉장한 생명이자 우리 생명의 원천이야. 존경하는 마음을 가진다면 함부로 취급할 수 없어."

그래요. 누구를 위해 열매를 맺느냐는 오직 신만이 아는 것. 인간이 멋대로 순위를 매긴 것뿐이다.

"그리고 지난번에 만들어준 두부 요리도 맛있었어. 엘로즈가 만드는 건 요리든 부적이든 정말 흥미로워."

도사님의 가르침 결과, 만족스러운 결과물이 나왔을 때 맛보여드리기로 약속했다…….

아 참. 여담이지만 그 엘프콩 두부는 엘프 마을에 레시피를 봉납하게 됐다. 봉납할 때는 동행하자고 하셨다. 엘프 마을! 아란에게 레시피를 유출하는 건 조금 더 미뤄질 것 같다.

그 날, 시중을 드느라 벽에 붙어서 보고 있었는데, 그릇에 숟가락을 넣는 순간 탱글한 촉감에 놀라고, 이어서 입에 넣었을 때 사란 꽃의 알싸한 자극과 그 후에 밀려오는 엘프콩의 단맛에 그 림 도사님이 눈을 번쩍 뜨고 등을 부르르 떨었다.

잠시 여운을 즐긴 후 숟가락질 속도가 빨라졌는데, 먹을 때마다 림 도사님의 귀가 실룩실룩 움직였다! 꺄아아, 긴 귀가 너무 귀여워서 표정 관리를 하느라 혼났다. 슥 잡아보고 싶었다. 긴 귀 위험. 완전 위험.

엘프 마을은 녹음이 짙은 땅이라고 들었지만 기본적으로 채식을 하는 엘프에게는 엘프콩도 잡곡 취급을 받는 쌀도 귀중한 식재인 것은 틀림없다.

조리법에 따라 맛이 달라지는 것을 알고 있다면, 엘프 마을에야말로 그 정보가 필요하다고 림 도사님이 말했다. 그래서 시행착오를 거듭해 만족할 만한 음식을 도사와 엘프 마을에 제공해야겠다고 생각했다.

하지만 역시 왕성에서까지 실험을 할 때가 아니었다. 가장 눈에 띄면 곤란한 사람의 눈에 띄고 말았다…….

"로즈, 이 두 사람 시중을 드는 게 힘들 테지? 곤란한 점이 있을까 걱정이구나."

"아뇨, 당치않아요. 스스로의 한계가 어디까지인지 지침도 되고, 무엇보다 빚 변제를 위해서예요. 열심히 노력하겠어요."

"그래. 그렇다면 다행이구나. 하지만 로즈, 빚은 언제 갚든 상관없다. 아, 시간이 됐군. 그럼 로즈, 다음에는 림 도사님이 자랑했던 리조토를 짐에게도 맛보여다오."

……어쩌지. 다음에야말로 목이 달아날 것 같다.

⁑제 5 장⁑ 그 플래그를 피하겠어요

휴일이 왔다. 보호색을 두르고, 자, 가자. 꿈의 나라로!

이날을 위해 만든 부적이 아침 햇살 속에 반짝였다.

적을 무찌르자며 불타오르고 있었다!

아름다운 중년의 수녀들과 합류해 청초하고 당당하게 학원 문을 통과했다.

지난번처럼 수도원별로 줄을 서서 점호를 받았다.

그 다음 청소할 교실을 배정받고 각자 흩어져서 청소하는 순서지만. 슬쩍, 자연스럽게 시선을 피했다. 그런 다음, 하하, 허리가 아파서 못 살겠네, 나이를 먹어서 그런가, 하고 중년 여성인 체하면서 등허리를 탁탁 두드렸다.

"그럼 다음은 동부 지구 아트페의 로즈 수녀."

지금은 불리고 싶지 않았어요…….

"로즈, 여기 있었네. 찾았어."

"네, 하하……."

나르. 어째서 네가 있는 거야. 팔짱을 끼고 수녀들을 노려봐서 어디 감독관인가 생각했어. 남자 옷을 입어도 여자아이로밖에 안 보이고. 푸흡.

"공자님. 이 사람이 찾으시는 수도녀인가요?"

수도원에서 조정자 역할을 하는 나이 지긋한 수녀 마리아가 온화한 태도로 나르에게 말을 걸었어요.

"응, 맞아. 마리아 수녀. 이 수녀를 빌려 가도 될까. 이 애가 소속되어 있는 수도원의 부적을 어머니가 갖고 싶다고 하셔서 말이야."

그건 묻는 게 아니잖아. 명령이잖아. 애초에 공작부인이 직접 분부한 걸 거절할 수 있을 리 없잖아.

"로즈 수녀. 이 공자님의 어머님께서는 줄곧 우리 수도원을 지원해주시고 있는 훌륭한 분이셔. 드디어 공작부인의 귀에까지 들어갔군요. 공자님. 그 부적은 이 로즈가 만드는 거랍니다."

"……그게 정말이야?"

"네, 그럼요. 정말이라니까요. 자, 다녀오렴, 로즈. 오늘 봉사 활동은 면제해줄 테니까."

"……네에."

격하게 가고 싶지 않아.

나르. 도망치지 않을 테니 손 좀 놔.

"저는 봉사 활동을 하러 온 거예요. 놀고 있을 여유는 없다고요."

얼른 청소하고 적을 찾으러 가야 한다. 그 후 나의 천사 아란의 장밋빛 생활을 뒤에서 지켜보며 응원하는 숭고한 역할이, 더욱이 학원 어딘가에 계신다는 기림 선생님과 마리아 선생님을 찾아야 한다고.

"그렇게 말하지 마. 어머니 이야기는 진짜야. 부적에 어떤 효능이 있는지 알고 싶다고 하셨어. 종류를 듣고 주문하고 싶다고. 그리고 그 후에 기림 선생님께 네 이야길 했더니 다음에는 언제 오느냐고 엄청 무섭게 물어보시더라."

"갈게요! 강당은 어디죠?"

"잠깐, 잠깐, 잠깐."

나르의 손을 뿌리치며 앞으로 치고 나갔지만, 길을 몰랐다.

강당이 어디야!

"지난주에 그쪽이 갈색 머리가 아니라고 해서 사람을 착각한 줄 알고 체념했었어요. 하지만 마리우스 선생님께서 기림 선생님과 마리아 선생님이 이곳에서 교편을 잡게 됐다고 하셔서. 전 두 분을 뵙고 꼭 사과드릴 일이 있어요."

"……잠깐. 너, 마리우스 의사와도 아는 사이구나."

"네, 그런데요?"

의아해하며 나르를 올려다보자 나르의 표정이 순식간에 벌레를 씹은 표정으로 변했다.

"마리우스 의사와도 안다고 하고. 저기, 대체 넌 누구야?"

돼지의 딸입니다만, 뭔가 잘못된 거라도?

"……단순한 가정부예요."

"가정부? 하지만 너, 림 도사와도 아는 사이잖아?"

"네. 잘 아시네요. 림 도사님의 댁에서도 가정부로 일하고 있어요. 그런데…… 왜 도사님의 이름이 나오나요? 전 기림 선생님과 마리아 선생님 이야기를 하고 있었는데요."

나르가 정말 어이없다는 표정으로 나를 본 후 크게 한숨을 쉬었다.

"네가 모르는 것도 당연한가. 아무튼 그분들은 수업 중이야. 그리고 너, 두 분한테 뭔가를 했지? 이상한 차림으로 나타나서 내가 놀랐어."

"……이상한 차림, 이요?"

공작가의 아들인 나르는 림 도사님과 마리우스 선생님과도 아는 사이인 모양이다. 더욱이 왕명으로 교편을 잡게 된 기림 선생님과 마리아 선생님과도 아는 사이인 것 같다.

"그 아란 그레이라는 녀석은 단련하면 빛이 나는 큰 그릇인 모양이구나. 비상근이었던 두 분이 나오다니. 내가 학원에 왔을 때와 전하와 크르트 메이덴이 입학한 이후로 처음이야."

……은근히 자기 자랑을 하는군.

그리고 나는 정말로 굉장한 분들에게 가르침을 받았구나. 공작가의 아들에 왕자 전하의 선생님이라니, 깜짝 놀랐다.

그렇다면 두 분은 겨우 돼지우리에서 탈출해 후련해하고 있을지도 모른다. 내 얼굴을 보기도 싫어하시는 거면 어쩌지.

좋아했던 선생님들께 버림받았다고 생각하다니, 난 정말 구제불능일 정도로 나쁜 아이다. 이별을 말했던 그날, 두 번 다시 만나지 않겠다고 각오했으면서 말이다.

"선생님들도 수업이 있으시겠군요. 알겠어요. 그럼 공작부인은 어디에 계세요? 설명해드릴게요."

"지금은 내 방 기숙사에 계셔."

"기숙사……. 괜찮을까요? 전 이래 봬도 여성인걸요."

"보면 알아. 꼬맹이가 일일이 그런 일에 신경 쓰지 마."

"어머. 열세 살은 숙녀예요."

"그래, 알았다, 알았어."

나르가 이쪽이야, 하고 내 팔을 끌며 앞장섰다.

수련장을 가로질러 가면 가깝다는 나르가 가리키는 대로 따라갔다.

내가 이루어야 할 일은 사망 플래그를 피하고 어지럽게 날뛰는 나쁜 결과를 쳐부수고 아주 짧은 순간 아란을 지켜보고 크르트 님과의 사랑놀이를 멀리서 바라보며 몸부림치는 일뿐이다.

선생님들에게는 선생님들의 인생이 있다.

갈라져버린 길이 다시 겹쳐질 일은 없는데 어째서 이렇게 미아가 된 것 같은 기분이 드는 걸까.

"올해 입학한 아란 그레이는 앞으로 전하를 곁에서 모시기로 결정됐어. 출신이야 어떻든 왕가의 비호를 받는 아이야. 어머니는 확인하러 온 모양이던데."

나르가 정면을 응시하고 걸으면서 중얼거렸어요.

"그 후 아란 그레이는 어떻게 지내나요?"

"걱정이 필요 없을 만큼 유능한 녀석이야. 아란은 메이덴 자작가의 아들과 같은 방을 써."

"어머, 다행이네요."

러브러브군요! 침대는 하나로 부탁해요, 크르트 님!

"드디어 웃었네."

나르가 미간에 주름을 잡으며 내 얼굴을 들여다보았다.

아, 맞다.

"나월 님, 지난번에 아란 그레이에게 시비를 걸었던 분들을 아세요?"

"응? 물론 알지."

"아트페 수도원에서 만든 특제 부적을 가지고 왔는데 드리고 싶어서요."

나르가 딱 멈춰 서서 빤히 쳐다보았어요. 왜 그럴까요.

"네가 만든 그 부적을 말이야? 관둬, 관둬. 부적을 받는다고 마음을 고쳐먹을 녀석들이 아니야. 자기들의 이해력이 더딘 건 교사가 능력이 없어서고 마법 특성을 발휘할 수 없는 것도 교사 탓. 전하가 자기들을 신임하지 않는 건 전하를 곁에서 모시는 크르트 메이덴이 주제넘게 나서서고, 최근에는 한결같이 『우리』가 있었어야 할 곳을 신입에게 가로채여서니까, 라고 하더라."

그, 그건 뭐라고 말해야 할지.

"여전히 어리석은 분들이네요."

"맞아. 바보들이야."

할 말을 잃고 중얼거리자 나르가 동의했다.

"알았어요. 그렇다면, 마침 잘됐네요. 이 부적은 정말 특별한 거예요. 자기가 했던 행동과 말이 돌고 돌아 전부 자기에게 돌아오는 부적과 자기 행동에 걸맞은 칭찬을 들을 수 있는 부적이에요. 이건 남을 돌아보는 것을 잊은 자가 벌을 받게 되는 부적이고, 숨겼던 일들이 백일하에 드러난다는 뜻을 가진 부적도 있어요."

인과응보. 신상필벌. 성자필쇠. 악행탄로. 떠오르는 대로 한 땀 한 땀 놓았어요.

마지막에는 림 도사님과 마리우스 선생님의 시선도 신경 쓰이지 않았다.

그야 아란을 망가뜨리려고 하는 녀석들이니까 적은 섬멸해야만 한다.

"……호, 재밌네. 행동의 좋고 나쁨과는 관계없는 거야?"

"……네. 인과는 돌고 돌아요. 선이면 선이. 악이면 악이. 따라서, 그들의 행동에 대한 징계가 되겠죠."

"좋아! 보는 눈이 많은 데서 줄 수 있도록 꾸며볼게. 재밌어질 것 같군."

나르. 나는 딱히 보는 눈이 많은 데서 줄 생각은 없습니다만.

수련장을 빠져나와 기숙사 안으로 들어가자 나르는 기숙사 담당 직원에게 말만 걸고 그대로 통과했다.

괜찮은 걸까. 그리고 나르의 방이라는 거창한 문을 열자.

"어머 세상에나. 어쩜 이렇게 사랑스러울까! 나윌, 잘했구나!"

큰 해바라기 같은 여성이 열렬한 포옹으로 환영해줬다.

"반가워요, 아가씨. 나윌의 엄마 바이올렛이라고 해요. 나윌이 말한 대로 사랑스러운 아가씨네."

"아, 아트페의 수도녀 로즈예요. 공작부인, 뵙게 되어 영광이에요."

겨우 떨어져서 예를 갖췄다. 기세가 마리아 선생님 수준이었다. 만나자마자 공작부인에게 포옹을 당하다니, 심장에 좋지 않다.

"어머니. 이 애가 그 부적을 만드는 사람이었어요."

"세상에!"

나르, 밝히지 말라고! 그리고 귀여운 건 굳이 말하자면 부인이다. 게다가 어쩐지 나를 보면서 바르르 떨고 있습니다만. 뭘까. 이 사랑스러운 생물이 나르의 어머니라니 도저히 믿을 수 없다.

"그 부적을 네가……?"

"아, 네. 서툰 솜씨라 부끄러운 따름이에요."

"아니야. 그 부적 덕분에 내 딸이 돌아와 줬어! 너에겐 아무리 고마워해도 모자라!"

"아니에요, 부인. 총명한 아가씨인걸요. 부적 따위에 기대지 않더라도 언젠가는 바른 길로 돌아오셨을 거예요."

사망 플래그를 피해서 다행이라고 진심으로 생각했다. 부적이 작용한 건지 내가 행동했기 때문인지는 모르겠지만 부인과 나르가 울 일이 없게 돼서 다행이라고 생각했다.

쓸데없는 일이 아니었다고 생각하고 싶은 것뿐일지도 모르지만.

그리고 한동안 부적에 대한 이야기에 열중했다.

주로 부적의 성질과 효능에 대해서였지만 그 부분은 완곡히 부정했어요. 부적 하나로 소원이 이뤄질 리가 없다.

"부적을 통해서 봤던 것뿐, 성취한 건 전부 부적에 맡긴 사람들의 마음 덕분이에요. 자신의 마음을 부적에 맡긴 것뿐이에요. 조금은 그분들의 마음에 힘이 되었을지도 모르지만, 전 누군가에게 힘이 될 수 있었으면 좋겠다고 생각해서 자수를 놓았던 것뿐이에요."

“……그래. 부적이 내 손 안에 들어온 것도, 나월을 만난 것도?”
“그저 우연이 겹쳤던 것뿐이에요.”
공작부인의 미소가 깊어졌어요. 왠지 무척 기뻐 보였다.
“로즈는 우연을 소중히 여기는구나? 그럼 계속 나와 어울려주는 거야?”
“네? 아, 저라도 괜찮으시다면 얼마든지요.”
이 부인은 수도원 전체의 후원자였다. 중요한 고객 우선! 모에 보충은 다음 주에 하는 걸로. 아란, 기다려!
—하지만, 느긋하게 있을 수 있는 것도 여기까지였다.
“저런 세상에, 여자애는 그렇게 수수한 원피스를 입으면 안 돼!”
“아, 저기 공작부인? 저, 저는 수녀라서 이대로 괜찮아요.”
두건! 두건만은 사수해야 해!
“어머, 로즈. 나도 알아. 가발도 준비했으니까 내 얼굴을 봐서. 응?”
한쪽 눈 윙크에 넘어간 것이 운의 끝이었다.
“나월, 뭘 하고 있어! 숙녀가 옷 갈아입는 걸 지켜볼 생각이니?”
“아! 그럼 전 이만!”
아악! 나르! 날 두고 가지 마아아아아!
“저기 공작부인, 고, 공작부…… 잠, 깐, 아……아!”
“호호호, 얌전히 몸을 맡기렴! 자자, 괜찮아, 괜찮아!”
수녀복이 벗겨지고, 공작부인의 시녀에게 욕실로 끌려 들어갔다.
머리부터 물을 뒤집어쓰고 공작가에서 쓰는 고급 비누로 발가락 사이부터 모근 하나하나까지 구석구석 닦이고…….

가죽이 한 꺼풀 벗겨진 기분이었다. 시녀들이 황홀한 표정으로 매끈한 피부를 마사지해줬다. 콧숨이 거칠어진 것 같았다…… 마, 마사지잖아? 이상한 문이 열린 거 아니지?

"어머, 로즈는 옷을 입으면 도리어 말라 보이는 몸이구나! 이 훌륭한 몸매를 칙칙한 옷으로 감추는 건 아까워!"

"부인, 드레스는 어떤 걸로 할까요."

"그렇지. 어깨가 좀 더 드러나는 걸로. 로즈핑크보다 살짝 밝은 색의…… 아, 이게 좋겠어."

"부인, 액세서리는 어떻게 할까요."

"로즈의 이미지라면 과한 치장은 생략해. 이 가슴골을 숨기는 건 말도 안 돼지. 가는 금세공으로 충분히 돋보일 거야."

공작부인과 시녀들의 훌륭한 연계로 내가 당황하는 사이에 드레스 선택은 끝났다.

휙 덧씌워진 가발은 밤색이었다.

"어울려, 로즈. 똑같은걸?"

"부인?"

얼굴을 들여다보며 빙긋 미소 짓는 부인의 등 뒤로 검고 길쭉한 꼬리가 보인 것은 기분 탓일까. 긴 세월을 사교계의 최일선에서 국왕과 왕비를 끝까지 지켜온 공작가의 미녀는 우아하고 덧없는 큰 꽃송이처럼 보여도 역시 귀족의 의무를 아는 전사라는 걸 깨달았다.

"나 폐하께 부탁을 받았어. 수도원에서 시들기만을 기다리는 장미꽃 한 송이를 구해주지 않겠느냐고. 오늘 여기서 그 장미를 직접 보고 나서 결정하겠다고 말씀드렸어. 부적의 효능을 일부러 퍼뜨리고 다니지 않고 나에게 잘 보이려고 하지 않고 나월에게도 전하께도 남동생에게 의지하지도 아첨하지도 않는 그 장미는 도와주지 않으면 정말 시들면 시드는 대로 몸을 맡길 것 같아서 무서워졌어. 게다가 좋아하는 큰 백부님의 마음을 아프게 한 귀한 장미인걸?"

처덕처덕 파바밧 화장을 받고 입술을 칠하고 머리를 묶는 사이에 그런 장미 이야기를 들었다. 식물이라면 림 도사님이 도움이 될 거다.

"나월! 에스코트하렴!"

"네! 아가씨, 손을."

천사 같은 갈색 곱슬머리를 바싹 묶은, 아무리 봐도 남장 미인인 나르가 손을 내밀었어요. 당황하며 손을 잡고 일어서자.

"아하아아앙. 어울려어어어."

""""부인, 완벽해요!""""

"그래. 왕비 폐하를 단장시켜 적진에 내보냈던 그날이 떠올라!"

어째선지 괴로워하는 나르의 어머니와 그런 부인을 부축하는 시녀들이 칭찬을 했다.

우리는 전통 인형 한 쌍일까.

하지만 신경 쓰이는 한 마디가 있었다.

"그런데 적진이라뇨?"

"응, 옛날에 폐하가 반했던 영애를 단장시켜서 어머니의 큰 백부님의 약혼자를 결정하는 무도회에 억지로 참석시켜 폐하를 부추긴 일이 있었대…… 내가 태어나기 전의 일이지만 지금도 유명한 이야기야."

큰 백부님이라니…… 나이 차이가 얼마나 나는 거야.

"……너, 뭔가 착각했지? 어머니의 큰 백부님은 엘프의 피를 이어받은, 지금도 젊고 아름답고 물론 유능한 분으로 왕성에서도 림 도사와 함께 인기를 누리고 있는 미남이야."

그렇군. 관심 없다.

"……저기 있잖아. 마리우스 선생님이야. 선대 공작 본인. 지금은 아버지가 당주지만."

"호오."

어쩐지 아무렇지 않게 굉장한 이야기를 들은 것 같다.

"뭐, 됐어. 이제 봐. 부적은 챙겼어?"

"아, 네."

"자! 나윌, 참전이야!"

부인께 떠밀리듯 향한 곳은 수련장이었다.

"자 그럼, 누가 승리의 여신의 키스를 받을까!"

수련장 단상에서 나르의 어머니가 부채를 촥 펼쳐 가리킨 곳에는, 땀을 흘리고 있던 학생들이 멍한 표정을 짓고 있었다.

다들 멍해보였다. 마음은 이해한다. 나도 그렇다.

더욱이 휴일에도 불구하고 수련장에 나와 땀을 흘리고 있는 자율 훈련 중인 왕성의 기사님, 근위 기사님, 마술사 분들도 다 같이 멍한 반응을 보였다.

그리고 학생과 견습생이 있는 곳에는 당연히 교수진이 있었다.

부스스한 갈색 머리카락을 아무렇게나 바람에 휘날리며 얼굴의 절반을 가린 머리카락 사이로 보이는 투명하고 푸른 눈동자를 가진 훤칠한 분의 모습이 보였다.

단정하게 묶어 올린 밤색 머리카락, 영리한 푸른 눈동자로 뚫어질듯 바라보는 키가 큰 미녀.

"……기림 선생님, 마리아 선생님."

비로소 만나게 됐다는 기쁨에 가슴이 벅차오르고, 이어서 땅을 울리는 듯한 우렁찬 외침에 움찔했다.

이건 뭐야.

"로즈. 똑바로 앞을 봐. 넌 예쁘게 미소 짓는 거야. 산봉우리에 핀 꽃은 싸워서 쟁취하는 거야."

이 말을 듣는 순간 머릿속이 번쩍했다. 하늘의 계시였다.

『아란 그레이. 미끼는 미끼답게 예쁘게 미소 지으렴. 산봉우리에 핀 꽃이 아니면 범인이 걸려들 리 없잖아.』

아, 아, 아!

이, 이건! 소설에서 나왔던 살인 사건의 미끼 수사의 한 장면!

소설에서 아란을 훈련시킨 귀부인은, 나르의 엄마였어—.

너는 여기, 라며 공작부인 옆에 상품처럼 앉혀졌다.

아, 하지만…… 혹시 키스는 내 키스? 이 자리는 아란 거 아니야? 어째서 내가 앉은 거지?

"정숙!"

공작가의 시종이 앞으로 나가 토너먼트의 개요를 발표했다.

어느새 토너먼트 진형이 갖춰져 있었다.

"학생은 3인 1조, 현역 기사, 마도사는 단독. 승자는 공작가의 후견을 약속받고 훗날 출세에 편의가 보장됩니다. 그건 평민 출신이든 학생이든 공평하게 적용됩니다. 승자에게는 아름다운 아가씨의 키스와 직접 만든 부적이 돌아갑니다."

아아아, 아무래도 상품 확정인 모양이다.

"나윌. 넌 어떻게 할 거니?"

"물론…… 출전해요."

나르가 시종에게 가느다란 검 한 자루를 받아들더니 아무렇게나 허리띠에 꽂아 넣었다.

"전하를 지키는 건 선선대부터 줄곧 우리 딕섬 공작가로 정해져 있어. 나중에 나타난 메이덴 자작에게 그 임무를 넘길 순 없죠."

"어머, 무서워라. 나는 격려하러 온 거야! 전도유망한 아이들을 망가뜨려선 안 돼."

"망가진다면 빠른 편이 좋겠죠. 다시 시작할 수도 있고요. 게다가…… 언제까지나 큰 백부님께 지고 있을 수만은 없어요."

"후후. 나는 그 모습을 본 것만으로도 충분해. 그 큰 백부님이! 조, 좋아하는 아이를 위해서! 으크으, 배 아파. 나리도 함께 데리고 오는 건데!"

"어머니도 참."

"어머, 난 기뻐하는 거야. 1세기를 살면서 처음으로 신부로 삼고 싶은 아가씨가 있다는 말을 들었을 때는 내 귀를 의심했어. 이제야 큰 백부님께도 봄날이 찾아왔는데…… 성대하게 축하해주고 싶은 게 당연하잖아.”

“어머니……. 사람들은 그런 걸 방해라고 해요.”

“사람들은 사람들! 나는 나야!”

뭔가 대화에 열중하고 있는 모자와 상관없이, 나는 긴장이 돼 가만히 앉아 있을 수가 없었다.

자리에서 일어나 아란과 바통 터치 하고 싶어.

하지만 수련장으로 모이기 시작한 사람들에게서 눈을 뗄 수가 없었다.

갈색 머리카락을 휘날리며 유유히 걷는 기림 선생님과 요염한 미소를 지으며 중앙으로 걸어 나오는 마리아 선생님의 모습이 보였다.

새빨간 머리카락을 쓸어 올리며 대담하게 웃는 복숭앗빛 에로스 대원의 모습도 보였다.

팔짱을 낀 채 수련장에서 꼼짝도 하지 않는 전하와 그 양옆에 금색과 흑색의 그림자가 서 있는 것이 보였다.

살짝 어른스러운 얼굴로 자연스럽게 서 있는 아란과 가짜 검에 왼손을 얹은 채 서 있는 흑발의 소년 기사였다.

“……크르트 님.”

“어이, 수녀. 날 잊지 마.”

그렇게 말한 뒤 나르가 관람석에서 뛰어내려 중앙으로 걸어갔다.

기사와 마술사도 웅성웅성 모여들었다.

공작부인 옆에서 당장이라도 내숭이 들어날 것 같은데 여기 앉아 있어도 되는 걸까.

기합을 넣어 내숭을 떨고 있지만. 웃어, 웃는 거야, 엘로즈. 하지만 내숭을 떨다가 과로사할 것 같아. 아, 안 돼.

으음. 이건 아란과 「누군가」의 이벤트임에 틀림없다.

소설에서는 연쇄 살인 사건과 관련된 미끼 수사에서 아란이 여장을 하고 그 모습에 넋을 잃는 꽃미남들의 모습이 그려졌지만, 살인 사건이 없는 지금 이것이 누구와의 이벤트인지 도무지 감이 오지 않았다.

나르라고 생각하지만, 으음.

소설에서 나르와의 플래그는 미끼 수사 때 섰다. 그럼 이건 아이라 님이 사망 플래그를 피해서 일어나게 된 현상일까?

'크르트 님과 전하는 이미 플래그가 섰을 거고, 복숭앗빛 에로스 대원도 회수가 끝났을 거다. 남은 건 림 도사님과 마리우스 선생님 두 분이지만 아란과 접점이 없는걸.'

림 도사님과 마리우스 선생님 두 분은 아란이 왕성에 가고 나서야 플래그가 서기 때문에 지금 두 분과는 연결고리가 없었다.

내 일이 접점이라는 것을 생각하면 없다고는 말할 수 없지만 이건 역시 공작부인을 본받아 훌륭한 축제야, 라고 외쳐야 할까.

잘 생각하는 거다. 엘로즈. 여기서 잘하면 에릭 아무개를 부추긴 「녀석들」과 연결될지도 모른다.

소설에서는 아란이 노예처럼 취급받았던 어린 시절 무렵부터 학원 생활 무렵, 왕궁에 들어가 전하의 근위로 지내게 되었을 무렵, 이웃나라와 전쟁이 터지기 직전 무렵 등 여러 장면에서 영애가 한 명 또 한 명 살해됐다. 각각 시간 간격이 벌어져 있었던 점과 각각의 범인이 달랐던 점, 더욱이 영애의 자살도 있었기에 같은 레일에 놓인 연쇄성 있는 사건이라는 것을 몰랐던 것이 사건을 연장시키고 말았다.

진상은 언젠가 왕비가 돼서 나라의 중추로서 권세를 휘두르려 했던 엘로즈가 아버지를 움직이고 이웃나라를 끌어들여 전하의 약혼자 후보를 착실하게 매장했던 거였다. 정말이지 교활한 악녀다.

약점을 잡은 집안을 궁지로 몰아넣어 내쫓는 것에 재미를 붙여 부정을 저지르게 해서 요직에서 제거하거나 손을 써서 안락한 위치에서 끌어내리거나 도박에 끌어들여 가산은 물론이고 딸까지 팔아버리는 등 마음대로 움직였다.

잔인했던 건 사내종에게 명령해서 영애를 농락했던 일이다. 잘생긴 남창을 사서 교육시키고 때가 무르익었을 때 영애 앞에 풀어놓는 거다. 규중의 영애일수록 정에 이끌려 추락했다.

그리고 아이라 님. 에릭 아무개는 세련된 남자가 아니지만 정에 이끌려 사라질 운명이었어요.

하지만 현재 나는 맹세코 그런 짓은 하지 않았다. 누가 뭐래도 로맨스 판타지 역사상 유례를 찾아볼 수 없는 품행방정한 흑장미다! 그리고 아클라우스가도 돼지도 에릭 아무개와는 접촉하지 않았다. 접촉하려 해도 몰락을 바라보고 있었기 때문에 한눈팔 여유는 없었다. 단언할 수 있다. 그 돼지 커플에게는 무리다.

하지만 소설의 흑장미가 한 것 같은 악행을 꾸미고 있는 자가 또 있을까.

소설에서 살인 사건이 일어났던 시기와 아이라 님의 살해 시기가 상당히 떨어져 있어서 눈치채지 못했지만 어쩌면 아이라 님도 전하의 약혼자 후보 중 한 명이었을지도 모른다.

소설에서는 나르의 회상에서 아이라 님이 설명됐을 뿐으로 에릭 아무개의 속셈은 나르의 회상 속 대사뿐이라는, 이른바 공공연한 「진상은 암흑 속」이었다.

생각해보면 아무리 도박 빚의 형태라고는 해도 연인이다. 갚을 방법은 얼마든지 있을 것이다. 무엇보다 승진에 중요한 역할을 해줄 공작가의 영애를 어째서 살해했던 걸까. 가령 돌발적인 치정 갈등을 가장해서…… 처음부터 에릭 아무개는 아이라 님을 죽일 작정으로 접근했다?

서늘해진 공기에 몸을 떨었었다.

아아, 아아. 공식 팬 북을 더 자세히 읽어두는 건데! 어쩌면 힌트가 적혀 있었을지도 모른다.

그리고 지금, 현실에서는 가까스로 아이라 님의 살해를 막을 수 있었지만 어쩌면 아직 나쁜 녀석이 보고 있을지도 모른다.

왕도의 한구석에서 어쩌면 이 수련장에서 지금도 그들은 왕궁에 아첨할 기회를 엿보고 있는 건 아닐까?

무수한 눈들이 지금도 나를 보고 있는 거라면—.

……그렇게 혼자 심각해져 있는데, 옆에서 작게 떨고 있는 부인이 엄청나게 흥분을 억누르고 있었다.

"푸, 크크크. 아, 웃으면 안 돼……."

공작부인이라는 분이 배를 잡고 웃고 있었다. 눈을 마주치면 지는 것 같아서 슬쩍 먼 곳을 보며 시선을 피했다.

안 봤어. 나는 아무것도 안 봤어.

"부인, 차예요. 아가씨도 여기."

한바탕 웃음이 끝나기를 기다리고 있었는지 시종이 홍차를 내밀었다.

정말 나이스한 타이밍이다. 과연 공작가를 섬기는 시종은 교육이 잘 되어 있다.

눈앞에 펼쳐진 수련장에서는 조 편성 추첨도 끝나고 크게 네 개로 나뉜 투기장에서 빨리도 시합이 펼쳐졌다.

바람이 일고 흙먼지가 피어오르고 불꽃이 용솟음치고 물줄기가 치솟았다.

검이 부딪치는 소리가 고막을 뒤흔들고 창이 땅을 갈랐다.

겁을 먹으면 빈틈을 찔리고, 막으면 칼날이 날아오고, 그에 따라 오르는 열기는 파도와 같았다.

"아무리 애써도 잡어는 잡어. 반대로 어려도 호랑이는 호랑이, 용은 용이야. 보렴, 로즈."

다행이다……. 제정신으로 돌아온 모양이다. 공작부인이 부채로 가리킨 곳에는 나윌이 자기보다 덩치 큰 기사를 상대로 우아하게 검을 휘둘러 승리를 거머쥐었다.

호호. 대단하잖아. 자칭 나르는 역시 나르였다. 나르의 엄마 역시 우리 아들 하며 자랑했다. 이런 아들 바보.

최고는 아란이에요! 우리 애 자랑을 시작하면 하루 밤낮도 모자란다고요!

그 아란과 크르트 님은 맨 앞에 서서 선배 그룹을 땅에 때려눕히고 있었어요. 사촌에 이르러서는 진지에서 한 발짝도 움직이지 않았다. 하지만 아란과 크르트 님의 몸에 어렴풋이 빛나는 띠가 보이는 걸로 볼 때 방어 마법을 베풀어주고 있을 거다.

크르트 님은 눈에 보이지 않는 빠른 검 놀림으로 상대를 앞지르고 적의 마법진을 무력화했다. 아란은 바람을 휘감고 우아하게 상대의 빈틈을 찔렀다.

전광석화 같은 공격으로 일관하는 크르트 님과 바람을 조종하고 기민하게 움직여 확실히 때려눕히는 아란. 그리고 희귀한 방어 마법으로 모든 방향에서 날아오는 물리 공격을 무력화하는 전하.

—밤에도 분명 삼위일체. 모에를 보충해줘서 고마워, 아란. 힘내.

"다음, 제4투기장 제3전, 출전 선수는 기림 교수, 상대는 왕궁 마술사 소속, 코랄……."

"코랄 핌커, 기권한다!"

기림 선생님의 대전 상대가 이름을 불린 순간 기권을 외쳤다. 싸우지 않고 적을 물리치다니 과연 기림 선생님이다.

기림 선생님이 우아하게 인사하고 발길을 돌리자, 그런 기림 선생님을 번뜩이는 눈빛으로 바라보고 있던 마술사가 나왔다. 기림 선생님의 산뜻함을 보고 배워. 쓸데없이 겉만 번지르르한 그 옷은 어울리지 않아.

"제3투기장, 제2전, 대전 선수 마리필드 마술사, 상대는 기사단 소속 비알 달폰."

"흥, 학원의 권위도 땅에 떨어졌군. 선택받은 자들의 배움터가 평민 같은 졸부에게 문을 열어주고 기사인 척하는 무뢰한이 전하나 공작가의 부인 앞에 나서다니 말이야."

멸시하는 눈빛으로 대전 상대를 보던 마술사는 과장된 몸짓으로 번쩍이는 지팡이를 겨누었다.

"검객 따위가 마술사에게 도전하는 건 백 년은 이르다! 물이여, 모여라. 수룡이여, 끝없이 허공을 유영하라!"

물의 마법을 다루는 마술사였는지 그렇게 외치며 지팡이를 쳐들자 투명한 물 덩어리가 허공에 떠올라 빙빙 돌기 시작했다. 그 모습을 그저 지켜보고 있는 복숭앗빛 에로스 대원.

"물에 잠겨 후회해라!"

철썩, 하고 파도가 부딪치는 소리가 투기장에 울려 퍼졌다.

"하하하하! 전하의 앞이다. 죽는 사람이 나오면 안 되지! 온정을 베풀어 용서해주마! 수룡이여, 공격을……."

"뭐야, 이런 거였어. 서론이 길어서 이상하다고 생각했어."

쏴쏴 쏟아지는 물줄기 속에서 나지막이 읊조리는 목소리가 들렸다.

"뭐?!"

슉, 슈우욱, 하고 물이 증발하는 소리가 들렸다. 물 폭포가 사라진 곳에 서 있는 것은 복숭앗빛 에로스 대원이었다. 물도 방울져 떨어진다……고 말하고 싶은 대목이지만, 완전히 증발해서 다 마른 머리카락이 사락거렸다.

"그래서, 어쩔래? 이 정도 물대포는 금방 증발시켜주지. 아아, 다음을 위해서 몇 발 쏠 수 있는지 시험해볼까? 막으면, 다음은 검(이 녀석)으로 상대해주지."

복숭앗빛 에로스 대원이 계속할래? 하고 고개를 갸웃하자, 기고만장했던 마술사의 얼굴이 창백하게 질렸다.

"하, 항복한다."

풀썩 무릎을 꿇은 마술사를 본 뒤, 에로스 대원이 이쪽을 올려다보며 입꼬리를 올렸다.

그 미소에 공작가 좌석 가까이에 앉아 있던 아가씨들이 꺄아아아, 하고 소리를 질렀다.

역시 쓸데없이 색기를 발산하는 꽃미남이다.

"로즈, 아는 사람이야?"

"네."

하지만 여자의 적이다. 꽃미남이라도 매번 시녀가 바뀌는 호색가다.

"조금 전 제4투기장에 나왔던 분은 이름만으로 항복시켰지? 정말 멋진 분이야. 안 그러니? 로즈?"

"네! 역시 부인은 안목이 높으세요!"

기림 선생님을 칭찬하자 마치 내 일처럼 기뻐져서 싱글벙글하고

말았다. 안 돼. 안 돼.

"어머나, 후후. 로즈는 귀엽구나. 하지만 부인이라니 서먹해. 어머니라고 부르렴! 아, 그리고 전하는 관둬. 피가 너무 가까워서 안 돼!"

"부인……."

"어, 머, 니, 야."

공작부인이 내 입술을 살짝 눌렀다. 쉿, 이라고요? 이래 봬도 분위기 파악을 잘 하는 흑장미라 그 진의를 곰곰이 생각했다.

"……아, 네. 어머니!"

번뜩, 깨달았어요. 총명한 흑장미!

역시 나는 미끼였어요!

어째서 여기에 와 있는 건지 몰랐는데 나는 공작가의 영애인 아이라 님의 대신이었군요!

아란과의 플래그 세우기뿐만이 아니었어요. 일석이조를 노리다니, 역시 신!

영애를 덫에 빠뜨린 적을 색출하기 위해서 계획된 토너먼트였군요! 그러고 보니 아이라 님은 밤색 머리카락이었어요. 어째서 머리카락 색을 가리키며 똑같다고 하셨는지 비로소 깨달았다. 멀리서 보면 적도 오해할거다.

정신이 번쩍 들었어요! 이 중에 적이 있군요.

그렇다면 따르겠어요, 어머니!

제4투기장에서는 다음 시합이 시작됐다. 기림 선생님이 대치한 마술사를 상대로 처음으로 움직였다.

하지만 한 손을 흔들었을 뿐이이다. 그 순간 상대 마술사가 구축했던 마법진이 사라지고 새로운 진이 그려졌다. 그 진의 구성을 알아차린 마술사가 황급히 진에서 벗어나 항복을 외쳤다.

"어머…… 벌써 끝났네요."

위기 없이 이겨 나가는 기림 선생님의 모습에 무심코 안도의 한숨의 내쉬고 한편으로는 너무 빠른 결말에 아쉬움을 느꼈다.

좀 더 가까이에서 선생님을 보고 싶었는데.

"로즈, 로즈. 보렴, 홍일점이 움직여."

"어머, 마리아 선생님! 부디 무사하세요."

마리아 선생님이 공격 마법을 쓰던 모습을 본 적이 없어서 걱정이었다.

애당초 어째서 마리아 선생님이 토너먼트에 참가하신 걸까.

마리아 선생님의 수업은 일반적인 숙녀 교육이었다. 예의범절, 춤, 다도, 재봉 기초, 치유술의 기초, 약초학에 조제학, 빨래에 사용할 수 있는 약초 구별법, 약초와 독초 구별법에 버섯 판별법…… 어? 새삼스럽지만 숙녀 교육에 독버섯 구별법이 필요한 걸까? 아, 하지만 귀족이 아니게 될 예정이었으니 다행인가?

하지만 그건 일단 제쳐두고.

"마리아 선생님은 치유술밖에 못 쓰는 게……."

불안해하는 나에게 공작부인이 빙긋 다정한 미소를 지었다. 마치 천사처럼 부드러운 미소로…….

"20년 전쯤에 죽이지 않을 정도로 조절할 수 있게 되었다고 말했으니 괜찮아!"

마왕이 속삭일 것 같은 말, 하지 마세요.

어떤 의미로는 괜찮지 않으니까.

게다가 20년도 전?

"……어머니, 마리아 선생님은 도대체 몇 살이신 거죠……?"

"어머, 후후. 궁금하면 본인에게 직접 물어보렴!"

그리고 입 밖으로 말하진 않겠지만, 공작부인 당신도 몇 살인가요. 여자로서 그 피부 나이의 비밀은 꼭 알고 싶지만, 그러기 위해서 무언가를 잃을 것 같다는 생각을 하다니 나는 얼마나 죄 많은 흑장미인 걸까.

"(저기) 공…… 어머니와 친구라니 역시 마리아 선생님은 굉장한 여성이네요. 본받고 싶어요."

"호호호호. 로즈, 바로 그런 마음가짐이야! 남자에게는 말 못 할 비밀도 마리아 선생님께는 털어놓을 수 있겠지?"

"네. 선생님은 정말로 힘이 되어 주세요."

"그래…… 의지했었다면…… 이미 2년 전쯤의 일인가?"

"네."

"작은 숙녀가 첫 월경을 시작했다면서 부랴부랴 뛰어왔던 날이 생각나."

"윽."

무심코 양손으로 얼굴을 감쌌어요. 얼굴이 홧홧해졌어요. 확실히 2년 전쯤, 마리아 선생님 앞에서 울며 매달렸던 적이 있다.

돼지 커플은 부모 주제에 그런 여러 가지 준비에 무관심했다. 그래서 내 눈에 띄는 곳에 물건이 없었던 것이 화근이었다. 나도 전직 부녀자. 물건만 있었다면 전생의 지식을 떠올려 무사히 극복했을 거다.

하지만 그런 물건이 없었다. 저택 안을 전부 뒤져도 찾지 못했다. 모양이나 재질이 다른 것도 생각해서 청소도구 방이나 천 보관 창고도 뒤졌지만 없었다.

고참 시녀는 돼지의 시중을 드느라 바빴고, 할아범에게는 도저히 말할 수 없었다. 물론 동경하는 기림 선생님에게 물어볼 수도 없고 밤이 되고 말았다. 시간은 점점 흘러 옷은 피 냄새와 피로 물들었고 문 너머에서는 아란이 걱정스럽게 불렀다.

어린 신체가 영향을 미쳤는지 초경을 맞이한 정서 불안과 나날이 덮쳐오는 불행한 결말에 대한 공포 덕분에 냉정하게 접근하고자 하는 의지가 완전히 사라진 순간이었다. 임신이 가능해짐으로써 배불뚝이 결말이 가능해진 것이었다.

나는 이불을 뒤집어쓰고 떨었다. 그런 내 공포에 귀를 기울여준 사람이 마리아 선생님이었다.

"로즈, 이건 무서운 게 아니야. 이건 말이지 좋아하는 사람의 아이를 낳을 수 있는 몸이 되었다는 증거야. 엘로즈, 축하해."

하반신을 피로 물들이고 어쩔 줄 몰라 하는 나를, 선생님은 옷이 젖는 것도 신경 쓰지 않고 욕실에서 씻겨주셨다.

더운 목욕물과 체내를 순환하는 혈류의 흐름에 몸을 맡긴 채 생각보다 단단한 마리아 선생님의 품에 안겨 겨우 잠들 수 있었다.

부드러운 천에 감싸여 잠에서 깼을 때, 마리아 선생님의 얼굴이 보였다. 밤새 등을 쓸어주셨던 거였다.

치유술은 훌륭한 마술이다.

하지만 아무리 마법 기술이 발달해도 마지막에 이기는 건 다정한 사람의 「손길」이라는 것을 그때 깨달았다.

그날 이후로 이전보다 더 마리아 선생님을 동경하게 됐다.

"로즈, 시작한다. 잘 보렴."

"네. 어머니."

마리아 선생님이 투기장으로 나왔다.

이곳과는 거리가 있어서 표정까지는 볼 수 없었다.

볼 수 없지만 분명 기억 속에 있는 선생님처럼 온화한 미소를 짓고 있을 것이 틀림없다.

그야말로 투기장에 핀 한 송이 꽃이다.

게다가 그 꽃은 숙녀의 거울이자 나의 우상인 분이다.

그 미소 앞에서는 어떤 강자도 투지를 잃고 무릎 꿇을 거다. 그 정도로 아름답고 매력이 넘치는 여성이다.

하지만 이번 경기의 주최 측은 공작가.

앞으로의 미래가 달려 있다고 했으니 어떤 남자라도 진지하게 임할 것이다. 마리아 선생님이 다치지 않기를 기도하면서 투기장을 지켜봤다.

상대방의 호명도 끝나고 두 사람이 투기장에 마주 섰다.

상대는 왕성에 근무하는 기사님인 것 같았다.

내가 아는 한 선생님의 특기는 치유술이었다. 공작부인의 말씀으로는 마리아 선생님은 전투 기술을 가지고 계신 듯한데 그게 뭘까. 죽이지 않게 조절할 수 있게 「된」 힘은 예전에 가르쳐주신 치한 격퇴술일까?

『엘로즈, 사람은 눈을 공격당하면 움직일 수 없어. 남자라면 고환이 급소겠지. 그저 무턱대고 저항하는 게 아니라 급소를 확실히 찌른 뒤 도망쳐야 해.』

돼지의 동료 앞에서 아란을 보호하며 도망칠 곳을 찾고 있던 나를 발견한 마리아 선생님은 괴한을 때려눕힌 후 싸우는 법을 자세히 가르쳐주셨다.

그건 정말 확실한 격퇴법이었다. 그야말로 순식간이었다. 실험대가 된 괴한은 짓밟히고 내동댕이쳐지고 뭉개져서 이상한 문을 열었었지만.

아니면 직접 제작한 해충, 해수용 약품을 뿌리실 생각일까.

그 냄새는 천 리를 갈 기세였다. 뒤집어쓰면 석 달은 사람들 앞에 나설 수 없다. 그보다 사람들이 개미처럼 흩어져서 도망간다.

마리아 선생님이 우리 집에 처음 왔을 당시 돼지를 피하기 위해서 선생님이 직접 제작해 돼지의 머리에 듬뿍 뿌렸다.

그 돼지를 바로 기절시키고 이후 석 달 동안 방에서 나오지 못하게 만든 걸작이다.

하지만 여기는 전하와 공작부인도 있으니 설마 쓰지 않겠지라고 생각하면서 투기장을 보다가 상대 기사님의 움직임이 이상하다는 것을 깨달았다. 창백해져서는 뒷걸음질을 쳤다. 마치 위협으로부터 도망치듯이.

"설……, 무……!"

"……를, 돌…… 아?"

으음, 뭐라고 말하는 것 같았다.

"……아, 훌륭……. 을 ……까, ……까."

"기사단 소속, 게넬 시랜트, 항복한다!"

의아해하는 사이에 투기장 끝까지 후퇴한 기사님이 항복을 선언했다.

……어? 경기는 허무하게 끝났다. 이 두근거리는 느낌을 어쩌면 좋을까.

"마리아 선생님은 강하시네요."

"이런 게 아니야. 지금은 장난친 것에 불과해. 아직 힘의 절반도 보여주지 않았으니까."

걱정했던 기림 선생님도 마리아 선생님도 순조롭게 앞서갔고, 아란이 포함된 3인 1조의 학생 조도 몇 조 살아남아 있었다.

"……어머, 거짓말. 살아남았어……."

내 눈앞에서 의기양양하게 으스대는 학생 조가 있었다.

아란에게 물을 끼얹었던 그 녀석들이었다. 말도 안 돼.

"그게 로즈, 도전자로 일부러 남겨뒀어. 나월이 간청을 해서 엄마가 힘을 좀 썼지!"

빙긋 웃는 공작부인의 미소에 오싹해졌지만 겨우 미소를 짓는 데 성공했다.

그리고 다음 승자가 남고 패자가 투기장을 떠났다. 그 속에서 아는 사람을 발견했다.

"……어머니, 저 남자가 이쪽을 보고 있어요."

에릭 아무개는 최종전에는 남지 못한 듯 투기장에서 나가던 중이었다.

이쪽을 아마도 나를 아이라 님으로 착각한 것 같았다. 올려다본 그 눈빛은 연인을 그리워하는 것이라기보다는 손에 닿지 않는 사냥감 때문에 이를 가는 남자의 집착처럼 보였다.

나는 그것에서 분명한 악의를 느꼈다.

그것이 꼭 망상만은 아닌 것 같았다.

"어머, 로즈. 창백한 것 좀 봐. 에릭 달레스는 널 아이라로 착각한 거야. 저 뻔뻔한 인간이 잘도 우리 앞에 얼굴을 내밀었구나."

"기분 나쁘게 절 쳐다보고 있어요. 정말 기분 나쁜 눈이에요. ……어머니, 저 남자가 정말 아이라 님의 연인이었나요? 저는 도저히 믿을 수가 없어요."

아주 살짝 에릭 아무개가 몰래 감추고 있는 악의를 나타낼 수 있다면 좋겠다고 생각했다.

하지만 이쪽을 노려보는 에릭 아무개를 보고, 나는 진심으로 위축되고 말았다.

"저 눈은 연인을 바라보는 눈이 아니에요. 놓쳐버린 사냥감을 아쉬워하는 눈이에요."

"……아이라가 사랑이라는 덫에 걸린 사냥감이라는 뜻이니?"

"그게 다가 아닐지도 몰라요. 공작가를 향한 악의일지도요."

"로즈."

"생각일 뿐이에요."

공작부인이 투기장을 바라보면서 뭔가를 생각하기 시작했다.

에릭 아무개의 생가인 달레스 가문의 배후에는 분명 코리 백작과 트레스 백작이 있었다.

백작들을 등용한 가문은 유리파스 후작 가문과 세티스 변경백 가문이었다.

아클라우스가의 몰락 루트를 작성하다가 보게 된, 돼지와 친분이 있던 몇몇 가문을 떠올렸다.

우리 가문의 몰락 루트와 직접 관련이 없어 방치했었지만 소설에서 이웃나라가 침공해왔을 때 도움을 줬던 매국노 중에도 그 이름이 있었다.

아클라우스가의 종말이 빨랐기에 지금 그들은 돼지의 뒤를 이어 이웃나라와 접촉하려고 필사적일 것이다.

선물은 많을수록 좋다고 생각하는 게 당연했다.

예를 들면 나라 제일의 충신 딕섬 가문에 어떠한 충격을 줄 계획을 세운다거나.

예를 들면 이웃나라에 우호적인 생각을 가진 집안의 딸을 전하의 약혼자로 앉힌다거나.

예를 들면 이웃나라와의 국경선이 이웃나라에 유리해지도록 불리한 상황을 만들어낸다거나.

……아, 혹시 동쪽 끝에 있는 아트페는 위험한 걸까? 라고 생각하고, 이웃나라에 가까운 수도원의 위치를 떠올리고 어쩔 수 없다고 생각했다. 그야 돼지는 이웃나라와 접촉하기 위해서 아트페에 수도원을 뒀다.

생각하면 할수록 늪에 빠지는 기분이었다. 이래서는 안 된다며 시합에 집중하기로 했다.

오오, 마침 중앙으로 나온 것은 분위기 파악을 못 하는 멍청이 조였다. 그들은 뭐라고 인사말을 건넸다. 분명 미사여구로 꾸며진 빈말일 것이다. 그 증거로 전하가 질린 표정을 지었다.

사촌 남동생 전하가 인상을 쓰는 사이에 화려한 갑옷을 입은 어릿광대들이 아란과 크르트 님을 덮치고 땅에 드러누웠다.

너무 빨라서 무슨 일이 일어났는지도 모를 만큼 싱거운 시합이었다. 전하는 방어막조차 치지 않았다. 질린 표정을 숨기지도 못하고 그들을 쳐다보았다. 크르트 님이 검을 한 번 휘둘러 칼자루에 집어넣고 아란은 방출했던 바람 마법을 멈췄다.

맨 뒤에 있던 전하가 앞으로 나왔어요.

"……최종전 ……가, 남은…… 녀석……, 도전……, 도…… 기골이…… 줄 알았…… 데."

"마…… 문제였……. 어째…… 여…… 있…… 지……?"

"네놈들…… 뭘…… 배우……, ……야."

전하가 한 명 한 명의 얼굴을 보면서 뭐라고 가차없이 말하는 것 같았어요.

그러자 멍청이 조원들의 얼굴이 새파랗게 질렸다.

"세바스. 목소리를 전해줘."

세바스 씨는 바람 마법을 쓰는 모양이었다. 아란처럼 바람을 조종해 목소리를 건져 올렸다. 들려온 말은—.

"검도 못 뽑는 기사 지망생에 영창도 못 하는 마술사 지망생이라. 이름과 얼굴을 기억했어. 노력해서 내 실망을 뒤집을 만큼 실력을 쌓지 않으면 중앙에서 부를 일은 없을 거야."

……전하, 가차없다.

"정해진 것 같구나."

투기장 한쪽이 술렁이기 시작했다.

"가일 전하 팀, 기림 교수, 앞으로. 마리아 교수, 나월 딕섬 두 사람 앞으로!"

4강 진출자가 정해졌다. 역시 아란이다. 크르트 님과 함께하면 전광석화. 전하와 함께하면 질풍신뢰. 주인공의 매력과 합쳐져서 대적할 상대가 없다.

하지만 상대가 기림 선생님이라면 아란의 매력도 먹히지 않겠지.

아란의 매력에 현혹되는 건 공 뿐이니까.

아아, 어느 쪽을 응원하면 좋을까.

아란이 이기길 바라지만 기림 선생님이 지는 일 따윈 상상할 수 없다.

그리고 또 한 조, 홍일점인 마리아 선생님을 드러내 놓고 응원하고 싶지만 나르가 열심히 해주길 바라는 마음도 진심이었다.

"나월, 힘내렴! 오오, 오…… 크흠. 마리아 선생님, 살살 부탁해요!"

공작부인의 입꼬리가 실룩대는 건 이미 그렇게 정해져 있는 건지도 모른다.

***

동시에 시작된 두 시합은 점점 열기를 더해갔다.

기림 선생님이 세 명의 공격을 종이 한 끗 차이로 피하고, 마리아 선생님은 미소를 지으면서 나르의 참격을 받아넘겼다.

눈으로 따라잡을 수 없는 공방에 마음을 졸이면서 시선을 빼앗길 뿐이었다.

지면을 박찬 크르트 님이 몸을 비틀며 상공에서 후려친 검을 피하고, 크르트 님에 맞춰 움직이던 아란이 직진 방향에서 방향을 바꿔 그 기세 그대로 다리를 걸려고 했지만 그것을 무리 없이 피하고, 검과 마법을 튕겨내는 선생님의 움직임에 맞춰 전하가 방어막을 치면 그것조차 순식간에 무력화되고 세 사람이 나가떨어졌다.

한편 마리아 선생님과 대치한 나르가 완급을 조절한 검술을 펼치자 선생님은 모조리 받아쳤다. 그보다 마리아 선생님은 너무 무쌍이었다. 그 나르가 방법을 잃고 일단 뒷걸음질 쳤다. 물러나는 것을 본 것 처음이었다. 저 씁쓸한 얼굴. 분명 자신도 본의가 아니었을 것이다.

하지만 어느새 투기장 한가운데에서 무릎을 꿇고 거친 숨을 몰아쉬는 것은 나르뿐만이 아니었다. 3인조도 그랬다.

기림 선생님도 마리아 선생님도 시합이 시작될 때 서 있었던 곳에서 한 걸음도 움직이지 않았다.

압도적인 실력 차였다.

"……까?"

기림 선생님이 3인조에게 뭐라고 알렸다.

"……할래?"

마리아 선생님이 나르에게 뭐라고 말을 걸었다.

얼굴을 든 아란은 분한 듯 얼굴을 찡그렸다. 크르트 님은 검을 내리고 한숨을 쉬었다.

전하가 아란의 어깨를 두드리고, 크르트 님의 어깨를 짚고 일어났다.

나르는 마리아 선생님을 올려다보며 한 두 마디 주고받은 후 가볍게 고개를 끄덕였다.

각각의 심판이 깃발을 들어올려 종료를 선언했다.

승자는 기림 선생님과 마리아 선생님인 것 같았다.

투기장에서 우리가 있는 관람석으로 돌아온 나르가 풀썩 주저앉았다.

조금 떨어진 곳에 전하와 아란이 크르트 님과 앉아 있었다. 사촌, 분위기 파악 좀 해. 아란과 크르트 님 사이에 앉지 마.

"수고하셨어요. 나……윌 님."

"보고 있었어?"

"네."

아란과 크르트 님 중심으로.

그렇게 생각하면서 다시 투기장으로 눈을 돌렸다. 이제 곧 두 분이 들어올 터였다.

"아, 잠깐. 끄……끝났어? 윽, 나, 나는 부전패냐!"

선생님들이 들어오기 전에 복숭앗빛 에로스 대원이 허둥지둥 투기장으로 달려 나가더니 그대로 무릎을 푹 꿇었다. 아, 그러고 보니 있었는데. 어?

"내가…… 그런 꼬맹이들한테 진 걸로……."

훌륭한 실망이었다. 그걸 보니, 싸울 생각이었는데 불합리하게도 지각했다는 것을 알았다. 망연자실해 있는 복숭앗빛 대원을 본 후 문득 공작부인을 쳐다봤다. 그 멍청이 3인조가 나왔을 때, 부인이 했던 말—.

"엄마가 힘 좀 썼어!"

데헷, 하는 효과음이 머릿속에서 재생되고 하트 마크가 난무했다.

"어머니…… 대체 무슨 일을 하신 거예요?"

"힘 좀 썼지!"

아아, 말해줄 생각이 없다는 거군요.

포기해, 복숭앗빛 에로스 대원. 당신의 경기는 아무래도 고차원적 계획 아래 강제 종료된 모양이니까.

"……저 남자의 얼굴과 이름은 나도 기억해두지. 전하도 신임하시는 모양이니 출세는 보장되어 있겠지. 일단 저 멍청이 3인조를 남겨두지 않으면 부적을 건넬 수 없을 테니까."

"아……."

나를 위해서, 나아가서는 아란을 위해서 나르는 마음을 독하게 먹었던 거다.

"그럼 다음 판에서 결정 나겠네. 로즈 넌 어느 쪽이 이기면 좋겠어?"

"양쪽 모두 다치지 않고 끝났으면 좋겠어요."

"……너, 저 두 분한테 부적을 줬지?"

"아, 네."

수호와 정화의 팔찌지만.

"칙, 그래서 안 먹혔던 거군. 그럴 줄 알았어!"

나르가 뭐라고 불만을 터뜨렸지만 그건 단순한 부적이니 부정이 아니다.

검술을 막은 보이지 않는 수호막의 위력이라고요? 하하하, 기분 탓이겠지.

"뭐, 됐어. 백부님의 한심한 표정을 볼 수 있었던 것만으로 감지덕지야."

"백부님? 언제 나오셨어요?"

"……조만간 알게 될 거야. 그리고 로즈, 나에게도 수호의 부적을 만들어줘."

"공작부인이 주문하신 것도 있으니 다 같이 완성해서 찾아뵐게요."

빚 변제. 빚 변제.

이렇게 주문이 밀려들다니 정말 홀로서기를 할 수 있을지도 모른다.

순조롭게 모두 갚으면 수도원에서 나와 시골에 틀어박혀 부적을 만들면서 이전부터 생각하던 시제품을…….

아, "나, ~~~하면 ~~~한다!"라는 말은 사망 플래그 같아서 좋지 않다. 이건 취소!

시합이 시작되기 전에 관람석이 술렁이기 시작했다.

대치한 두 사람은 무척 고요하지만 쥐 죽은 듯 조용한 투기장의 열기를 조금씩 끌어올렸다.

팽팽히 잡아당겨진 활처럼 아슬아슬한 긴장감이 이어졌다.

뭐라고 중얼거린 기림 선생님이 먼저 오른손에 마력을 모았다. 녹색 마법진이 떠올랐다.

그에 응답하듯 마리아 선생님도 오른손에 마력을 모았다. 물빛 마법진이 떠올랐다.

마리아 선생님의 진을 본 기림 선생님이 마법진을 더욱 늘려 나갔다. 적색, 청색, 백색, 갈색으로 마법진의 숫자가 늘어났다. 기림 선생님이 모든 속성을 사용할 수 있다는 건 몰랐다.

그에 반해 마리아 선생님의 주위에 떠오른 마법진은 모두 물빛이었다. 마리아 선생님은 물 속성 마법밖에 못 쓰는 것이다.

여기서 투지를 불태우고 있는 두 사람은 내가 아는 두 사람인데 전혀 모르는 사람들처럼 보였다.

바람의 영향을 받은 듯 단숨에 부풀어 오른 두 사람의 투지가 폭발했다.

순식간에 위치를 바꾼 기림 선생님이 녹색 마법진을 발동시키자 땅이 갈라지고 일렁이듯 덩굴 식물이 나타났다.

"어머, 림 도사님 댁에 서식하는 부계 식물과 판박이에요! 저 덩굴 끝에 달린 꽃봉오리가 꼼실거리면서 꽃을 피우면 더 똑같을 거예요!"

옆에 앉은 나르는 얼이 빠진 것처럼 부계 식물에게 빠져 들었다.

그래. 이해해. 나도 처음 봤을 때는 잡아먹히는 기분이었으니까. 눈을 뗄 수 없어지지.

……눈을 떼면 마지막일 것 같아서.

뻗은 덩굴 끝에서 꽃봉오리가 꼼실대기 시작하고 푸르르 흔들리더니 뽕, 하고 꽃이 폈다. 거베라 같은 아름다운 꽃이었다. 다만 하나하나의 크기가 도로 표지판 크기였다.

"맞아요, 저렇게 꽃이 펴서."

나는 오른손 주먹을 왼손바닥에 탁, 부딪치면서 설명을 이어갔어요.

우리 관객들의 많은 시선에도 굴하지 않고 덩굴 식물은 변신을 계속했다. 꽃 피우는 할아버지[#2]도 놀랄 정도였다.

"이빨이 나면 더 닮았을 텐데……."

꾸물꾸물 움직이는 꽃의 중심에 소리도 없이 선이 쓱 생기더니 붉은 입이 뻐끔 열렸어요. 빼곡하게 박힌 이빨이 맹수의 이빨처럼

#2 꽃 피우는 할아버지(花さか爺さん) 일본의 전래동화. 할아버지가 나무 위에 재를 뿌리면 앙상한 가지에 꽃이 활짝 핀다.

딱딱거리는 소리를 냈다.

나는 웃은 채로 굳어버렸다.

부계 식물이 투기장이 가득 울리도록 우렁차게 소리쳤다.

샤갸갸갸갸갸갸갸!

우와, 소리까지 똑같아…….

"가 아니야!"

실물이었다. 틀림없이 실물이다.

울트○맨의 괴수처럼 위압감이 장난이 아니었다. 머릿속에 예의 그 극화풍의 제목이 떠올랐다. 예를 들자면 「투기장에 나타난 우주 식물 괴수! 우냐라라동!」 같은 느낌이었다.

"뭐, 뭐야, 저건."

"림 도사님 댁 현관에 들어서서 2초면 만날 수 있어요!"

그래서 꽃의 큰 입이 머리부터 덥썩 먹어서 우물우물 퉤하면 신기하게도 알몸의…… 아아아아아!

"마, 마리아 선생님! 도망치세요! 그건 여성의 적이에요!"

엉겁결에 일어나 외치자, 들린 걸까요. 내 쪽을 흘끗 쳐다보셨다.

핫. 요염한 모습에 허리가 저릿했다.

마리아 선생님이 물빛 마법진을 발동시키자 덩굴 식물의 가장 굵은 줄기 밑부터 서서히 색이 변하더니 시들어가는 것을 알 수 있었다.

덩굴 식물은 에갸갸갸갸, 하고 비명 같은 소리를 지르며 몸부림치더니 사라졌다.

"역시, 물관이 빨아올리는 물을 뜨겁게 만든 건가. 아무리 마법 식물이라고 해도 식물은 식물이니까. 결국 타버리는 건가……. 하지만 도사님도 굉장한 걸 소환했어."

"주, 죽은 건 아니죠? 저래도 익숙해지면 착한 아이예요. 최근에는 손, 반대쪽 손, 기다려도 할 수 있게 됐어요."

무서운 우주 괴물(아님)인데도 귀여워하던 애완동물이 사고를 당한 것 같은 기분이 들었다.

—모자란 아이일수록 사랑스럽다는 말은 정말이었다.

초대하지 않은 손님을 홀딱 벗겨서 알몸으로 방치하는 구제불능 식물이지만 열심히 집 지키는 개 — ……집 지키는 식물? — 가 되려고 노력했다.

하지만 알몸 방치는 내 정신 건강에 좋지 않아서 열심히 타일렀어요. 하루에 한 번이 5일에 한 번으로 개선됐으니 대단한 발전이다.

나는 익숙해져서 20일에 한 번에 그치고 있어요. 하면 할 수 있는 아이다. 정말로.

기림 선생님과 마리아 선생님의 마법 응수는 마치 깜짝 상자 같았다.

놀라움의 연속으로 쉴 틈이 없었다.

작열의 물이 지면을 태우면 얼음이 가라앉고, 흙이 솟아올라 둑을 만들면 나선형으로 회전하는 물이 한 점을 뚫어 전체를 무너뜨리고, 물을 감아 올려 바람이 날뛰면 감아 올려진 물이 통째로 얼음으로 변했다.

"굉장해. 굉장하다고!"

관객석이 두 사람의 전투 열기로 더욱 달아오르고 환성이 터져 나왔다.

나도 그 열기에 휩싸여 투기장으로 빨려들어 갔다.

"알겠냐……. ……를……!"

"……야말로!"

"……!" " ……!"

""내…… 다!""

응? 둘이서 얼굴을 붙이고 살벌한 기세로 뭐라고 말다툼을 벌였다.

"이런 상황에 치정 싸움이라…… 이런."

나르가 한숨을 내쉬며 머리카락을 쓸어 올렸다.

공작부인은 아까부터 어깨를 작게 떨며 웃기만 했다.

하지만 나는 등이 서늘해지는 것을 느꼈다. 치정 싸움이라고, 나르는 말했다.

나는 나르의 어깨에 손을 얹으며 무심코 큰 소리로 묻고 말았다.

"내가 몰랐을 뿐, 두 사람은 연인 관계인 거예요?"

"어이, 잠깐!"

"여, 연인, 연이이인."

공작부인이 웃음을 터뜨리고 나르가 말을 들으라며 소리쳤다.

네? 어떻게 된 거예요. 제대로 알려주세요!

기림 선생님은 이미 마리아 선생님의 것인가요?

***

—승부에서는 언제나 긴장을 늦추는 쪽이 진다.

우리 관객들도 그걸 알고 있었다.

두 사람의 실력이 비슷비슷한 경우에도 마찬가지예요. 누군가가 영예를 차지하고 누군가가 패배에 무릎을 꿇는다.

두 분은 양쪽 다 상대의 빈틈을 찌르려고 기회를 엿보는 것 같았다.

마지막은 기술의 응수라기보다 체술의 응수였다.

마리아 선생님의 머리카락이 풀려 등으로 미끄러져 내렸다.

기림 선생님의 머리카락이 바람에 날려 그 단정한 얼굴이 아주 잠깐 드러났다.

마리아 선생님이 기림 선생님의 발을 걸고 그 왼팔을 붙잡았다. 승리를 예감했는지 미소를 지은 순간, 기림 선생님도 입꼬리를 씨익 끌어올렸다.

넘칠 것 같은 물이 쏟아졌다.

동시에 기림 선생님도 마리아 선생님도 물의 소용돌이 속으로 빨려 들어가 자취를 감추었다.

나는 무심코 자리에서 일어났다.

하지만 주위의 관객들도 모두 일어나 마른침을 삼키며 승패의 행방을 지켜보았다.

쏴쏴, 흐르는 물의 막 속에서 두 사람은 아직 기술을 방출하는 모양이었다.

마리아 선생님의 머리카락이 흐트러져…… 밤색 머리카락이 스르르 「떨어」졌다.

밤색 머리카락이 아니라 물색 머리카락처럼 보였다.

기림 선생님의 머리카락도 젖어…… 갈색 머리카락이 물살에 떠밀리듯 「떨어져」, 나타난 것은 길고 긴 주은(朱銀)의 머리카락이었다.

내 눈에는 아무리 봐도 두 사람의 모습이 림 도사님과 마리우스 선생님처럼 보였다.

얼마나 방심했던 걸까.

어느새 승부가 끝났는지 기림 선생님의 이름이 불렸다.

기림 선생님이 근소한 차이로 마리아 선생님을 이긴 모양이었다.

기림 선생님이 마리아 선생님에게 손을 내밀어 일으켜주는 모습을 가만히 지켜보았다.

이 넓은 투기장에는 이쪽에만 관람석이 있었다. 누구나 이곳에 앉아 시합을 관람할 수 있었다. 왕족도. 공작가도.

그리고 바로 근처에는 아란이 앉아 있었다.

가까스로 악역을 피하고 더욱이 배드 엔딩을 피했으면 보통의 행복을 원해도 된다고 생각했다.

좋아하는 사람에게 시집을 가서 아이를 낳고 기르고 평온하게 세월을 세며 늙어가다가 눈을 감는. 그런 특별할 것 없지만 멋진 인생 말이다.

주위 귀족들의 외모 등급이 높은 탓에 외모만을 보는 다른 귀족 자녀들과는 달리, 내 머릿속은 온통 악귀 같은 추한 남성과의 결말 뿐이었다.

악몽 같은 그것은 피하지 않으면 반드시 일어날 불멸의 깃발이라 피하기 위해 필사적으로 움직였다.

그런 나에게 가난하더라도 평화로운 매일은 무슨 일이 있어도 간절히 손에 넣고 싶은 것이었다.

그래서 줄곧 모든 것이 끝나면 기림 선생님을 찾아가자고 생각했다. 하지만 그것도 타산적이라는 것을 알고 있었다.

조연이 아닌 기림 선생님이라면 나를 좋아해줄지도 모른다고, 조연이라면 아란의 연애에 걸림돌이 된다.

하지만 줄거리와 상관없는 인물이라면 나를 사랑해줄지도 모른다고 생각했었다.

—역시 이 세계는 무척 살아가기 힘든 곳이다.

"로즈?"

"아무것도…… 아니에요."

사망 플래그도 피하기로 맹세했다. 이 정도 상처는 아무것도 아니다.

머릿속으로 회의를 끝내고 현실로 돌아오니 어째선지 주변이 소란스러워져 있었다.

무슨 일인가 하고 시선을 옮기자 기림 선생님과 마리아 선생님이 나란히 이쪽으로 걸어오고 있었다.

이제 숨길 필요가 없어져서인지 림 도사님은 머리카락을 숨기지 않고, 마리우스 선생님은 물빛 머리카락을 바람에 휘날리며 걸어왔다. 오, 눈동자 색은 여전히 푸른색이었다.

"엘."

아아, 기억 속에 있는 기림 선생님의 목소리였다.

"로즈."

마리아 선생님의 살짝 허스키한 목소리도 들렸다.

""미안했어.""

"네?"

"너에게 말하지 않았던 걸 용서해주겠니? 좀 더 빨리 말했어야 했는데. 다시 한 번 처음부터 내 소개를 하고 싶어, 엘."

슬프게 말하는 기림 선생님은 림 도사님이었다. 긴 머리카락 사이로 비어져 나온 귀가 축 처져 있었다.

"부디 우리를 용서해줘. 그리고 가능하다면 다시 한 번 처음부터 시작하고 싶어. 로즈."

미안한 듯 말하는 마리아 선생님은 마리우스 선생님이었다. 경기 중에 찢어졌는지 군데군데 옷 사이로 가슴이 보였다. 여성이라면 있을 수 없는 차림에 역시 남자라는 것을 깨달았다.

줄곧 거짓 차림으로 만났었던 거였다.

그것이 두 사람을 이렇게 슬프게 한 거다.

모든 게 다 내가 돼지의 딸이었기 때문이겠지.

"아무것도 사과하실 필요 없어요. 저는 제가 얼마나 복받은 사람이었는지 알고 있어요. 감사할지언정 화를 낼 만큼 뻔뻔하지 않아요."

아클라우스가에 발을 들이는 일은 그만큼 위험한 일이었다.

이해해요. 어쩔 수 없는 거죠.

이제 그는 가까이 가서는 안 되는 사람이 되고 말았다.

그, 그들은. 아란의 것이니까.

나는 힘껏 웃었다.

공작부인이 그런 내 어깨를 팔로 감싸고 림 도사님과 마리우스 선생님과 대치했다.

"마음을 원한다면 처음부터 다시 시작하세요. 큰 백부님, 도사님. 우리 사랑스러운 로즈를 울린 죄는 크답니다? 자, 로즈. 우수자 표창을 시작하자. 세바스, 준비해줘! 자, 큰 백부님과 도사님은 최우수 선수예요. 얼른 표창대로 돌아가 주세요."

"로즈! 말할 기회를 줘!"

"엘! 들어줘!"

공작부인이 두 분의 귓가에 뭐라고 속삭이자 두 분은 마지못해 내려가셨다.

"자, 나월이 지명할 테니 로즈는 노고를 치하해주렴."

"네. 어머니."

나는 이미 기계적으로 움직일 수밖에 없었다.

"지금부터 호명하는 자는 앞으로 나와 공작가의 포상을 받도록. 먼저 감투상. 2학년 기사과 세레디스 루메어. 마르티 하르놀. 크스터 룰브. 다음은 건투상. 동(同) 뎀에스트 에르크젠. 디 하문. 휴반그엔. 앞으로!"

나르가 큰 목소리로 외치자 모여 있던 선수단 뒤쪽에서 놀란 표정을 숨기지도 못하고 나온 자들이 있었다. 아란을 깔보고 무시했던 녀석들이었다.

“로즈. 그 부적은 가져 왔지?”

“네. 나월 님. 고마워요.”

“좋아. 그럼 힘껏 웃어.”

……내가 웃는다고 뭐가 달라질까.

하지만 뭐라도 하지 않으면 울음을 터뜨릴 것만 같아서 나는 단상에서 미소 지었다.

제 6 장 그 플래그의 행방

「출세하라! 공작가 주체 ☆ 꿈의 승리한 인생 게임☆」은 무사히 종료됐다.

우승자는 기, 아니, 림 도사님, 준우승자는 마리우스 선생님이었지만 이 나라가 자랑하는 대현자님과 궁정 의사 선생님은 우승, 준우승에서 물러나 승자는 나르와 전하 팀이 됐다.

뚜껑을 열면 국가 최고 실력자의 한 축을 차지하는 두 분이다. 승리는 당연한 거다.

일부 남학생들이 마리아 선생님의 이름을 외치고 일부 여학생들 사이에서는 림 님과 마리우스 님의 이름이 터져 나왔지만 두 분이 단상에 오르는 일은 없었다.

"축하드려요. 나월 님, 전하, 크르트 님, 아란 님."

공작가가 준비한 금일봉을 먼저 나르에게 건넸다. 그런 뒤 키, 키스를……이라는 생각에 긴장해서 굳은 나를 보며 나르가 훗, 하고 웃었다.

"키스는 됐어."

나르는 그렇게 속삭인 후 내 이마를 탁 튕겼다. 그리고 팔을 한 번 높이 흔들고 발길을 돌렸다. 공작부인이 얼굴에 웃음을 띠우고 나르를 맞이했다.

다음은 전하 조였다. 금일봉을 건네자 사촌 남동생은 뚱하게 눈썹을 찌푸린 채였다. 아란과 크르트 님도 무릎을 꿇은 채였다.

아아, 얼굴을 보고 싶어.

"……너에게는 묻고 싶은 게 산더미야. **어째서** 학원(이곳)에 있는지. **어째서** 공작가 자리에 앉아 있는지. 그리고 **어째서** 저 녀석들에게는 수제 부적이 있는데 우리는 없는지!"

턱 끝으로 휙, 가리킨 곳에는 조금 전의 그 멍청이 조가 있었다.

과시하듯 부적을 드러내보였지만 건네자마자 영험함을 발휘해 단상에서 새에게 가차 없이 폭격을 당하고 있었다. 아무리 도망쳐도 날아오는 새 때문에 잠시 후 검은 교복이 하얗게 변하는 모습을 보고 그제야 한숨을 돌렸다.

멍청이도 조금은 도움이 된다.

"오늘은 정말 급하게 정해진 일이라 준비할 여유가 없었어요. 전하께는 취향을 들은 후에 만들어드릴게요."

"……저 녀석들 건 준비했으면서 말이야?"

"네, 특별한 상품이라서요."

하루하루 정신을 갉아먹는 수수한 저주가 걸려 있지요.

"뭐라고?"

……저 표정은 뭐지? 아란과 크르트 님까지 왜 그런 걸까.

전하는 이해했어요. 남들보다 뒤에 똑같은 것을 조르는 게 싫은 거겠지. 할 수 없다. 서둘러 사촌용을 만들어야지. 수호 팔찌나 정화 팔찌를 바탕으로 가내 안전이 좋을까, 교통 안전이 좋을까. 차라리 장사 번성 같은 건? 나라가 발전할지도 모르잖아?

하지만 왜 아란과 크르트 님까지 딱딱하게 굳은 걸까? 누나가 무심코 귀여워해주고 싶잖아!

"저 선배들의 대체 어디가……."

"……의 특별이라니."

크르트 님도 그렇게 무서운 얼굴을 하고…… 아!

훗.

아란과 크르트 님은 아직 몰라서 그런 표정을 짓겠지만, 괜찮아!

누나가 두 사람에게 연애 성취 부적은 꼭 만들어줄 테니까! 원래 만들 때보다 다섯 배는 마음을 담을 테니까!

하지만 정말로 저주의 부적은 만드는 본인도 좋은 일이 없네.

남을 저주하면 자신에게도 화가 미친다. 인과는 돌고 돈다는 말은 흔히 듣는걸. 이제 절대로 안 만들어.

"흠, 좋아. 로즈."

"왜 그러세요?"

"잘 어울려. 몰라봤어."

"어머, 감사합니다."

"다음에는 실력으로 받으러 갈게. 그렇지? 크르트, 아란."

"네. 누님의 키스는 누구에게도 넘기지 않아요!"

"네, 반드시 받으러 가겠어요."

겨우 미소로 표창식을 넘겼다. 흑장미도 인간인걸. 하면 할 수 있어.

그리고 마음을 가라앉히고 생각했다. 이건 새로운 이벤트임에 틀림없다.

내가 흑장미답게 악역에 충실하지 않아서 차질이 생겼고 그것을 수정하기 위해서 발생한 거다.

떠들썩한 분위기로 상황을 얼버무려서 미끼 수사의 개요를 실행하지 않은 모양으로, 혼란을 틈타 나르가 에릭 아무개에게 작업을 걸었고, 에릭 아무개의 그 눈빛으로 볼 때 아이라 님 포지션인 나에게 어떤 행동을 할 것이 분명하다.

그렇다면 나는 이 상황을 이 나라에 그리고 아란에게 유리하게 끌고 가야만 한다.

'어떤 일도 웃으면서 받아들여야 해. 엘로즈.'

귀부신(貴腐神)적으로는 림 도사님과 마리우스 선생님이 사실은 기림 선생님이고 마리아 선생님이었어! 라는 아란에 대한 깜짝 이벤트지만, 지금 이대로라면 성에 입성하기까지의 시간적 차이로 공략 대상에서 제외될 것 같다. 그야 역사도 움직이니까 말이다.

'아란은 기림 선생님과 사랑에 빠지는 걸까.'

불쑥 떠오른 생각에 자조했다.

아아, 흑장미 주제에 무슨 말을 하는 거야.

여기는 아란이 주인공이니 기림 선생님도 마리아 선생님도 아란의 편이고 내가 방해꾼인 건 명백하다.

소설처럼 바퀴벌레 취급이 아닌 것만 해도 다행이다.

소설이나 애니메이션에서 나를 향한 멸시하는 눈빛을 생각하면 지금 현실이 얼마나 행복한지 모른다.

그렇다. 나는 행복하다.

좋아하는 기림 선생님에게 멸시의 시선을 받지 않고 소중한 사람의 누나 포지션으로 그 나름대로 대접받을 수 있으니까.

이 이상 무엇을 바랄까.

배드 엔딩을 피하고 행복한 결말을 맞이할 수 있다면 그걸로 됐다고 맹세했다.

기림 선생님이 아란에게 끌리는 것도 당연한 일이다. 선생님은 역하렘 총수 앙앙 축제의 주요 공이니까 말이다.

성에서도 실력자로 유명한 대현자, 림 도사님과 뛰어난 치유술사이자 물 마법 특성을 가진 마리우스 선생님이 사실은 그 이름을 숨기고 악의 소굴에 붙잡힌 불우한 아란을 위해 몰래 왕성에서 파견된 가정교사였던 것은 말하자면 약속이었다.

그들은 아란의 갸륵한 마음을 느끼고 지식을 가르치는 것뿐만 아니라 어느새 그 몸과 마음까지 지켜주고 싶다고 생각하게 된 거다.

거짓된 가면을 벗고 싶다, 진실된 모습으로 아란과 대화하고 싶다고 생각하는 것도 당연했다.

어쨌든 두 사람은 정정당당히 사랑을 속삭이고 싶다고 괴로워했을 거다.

소설대로 역사가 움직였다면 변장해서 아클라우스가에 잠입할 필요는 없었다.

그래서 이번 싸움이 있었던 거다.

여러 가지로 힘이 되어준 의지했던 선생님이 실은 존경할 만한 멋진 인물이었다는 왕도적 전개는 분명 이를 위한 것.

여기서 플래그를 세우기 위해서 그 어린 시절이 있었다고 생각한다.

돼지로부터 숨겨두고 지식을 가르쳐 어설픈 어른이 손을 뻗어 와도 피할 수 있게 단련해줬다.

식사 준비조차 게을리 하는 부모 돼지 두 마리에 분개하여 식량 확보를 위해서 숲으로 과외 수업도 나갔다.

먹을 수 있는 들풀, 약초, 독초를 비롯해 해독 마법진, 적을 물리치는 진을 가르쳐준 건 기림 선생님이었다.

청결과 청소, 빨래, 식사 준비, 열이 날 때 먹는 약 만드는 법, 배가 아플 때 먹는 약 만드는 법, 머리가 아플 때 먹는 약 만드는 법을 가르쳐준 건 마리아 선생님이었다.

아란이 돼지 방에 끌려갔을 때 돼지의 와인에 설사약을 대량으로 넣을 수 있었던 건 두 분의 덕이었다.

아란이 뜨거운 쇠말뚝에 눌렸을 때 옮게 수호의 진을 쳐서 돼지의 눈을 속인 것도 두 분의 덕이었다.

몰락 직전 엄마 돼지 때문에 변태 귀족에게 팔려갔을 때 혼자서 최음제에 취하지 않고 멀쩡했던 건 기림 선생님이 주신 해독의 마법진 덕분이었고 매일 밤 받았던 수면제나 마취약에 이길 수 있었던 것도 두 분 덕이었다.

우리가 여기에 있을 수 있었던 건 모두 기림 선생님과 마리아 선생님 덕분이다.

림 도사님과 마리우스 선생님을 움직일 수 있는 건 지금도 예전에도 폐하뿐이다.

폐하가 원하는 일이라고 해도 두 분이 납득하지 않으면 움직이는 일은 없다고 한다.

그런 그들이 우리 집에서 가정교사가 된 건 폐하와 그 두 분이 아란의 힘을 확실히 인정했다는 것이다.

즉, 돼지의 집에 두 분이 왔다는 건 폐하가 그것을 원했고, 두 분은 아란을 보고 자신들의 판단으로 학생을 결정했다는 뜻이다.

이것이야말로 예정 조화(豫定 調和)다.

"아란, 잘 지냈니?"

"아, 네! 누님은 별일 없으시죠?"

한쪽 무릎을 꿇고 얼굴을 드는 아란이 기뻐 보여서 누나도 기뻐.

그러니까 누나, 열심히 응원할게.

"응. 폐하 덕분에 매일 아무 일 없이 지내고 있어. 아란, 널 뽑아준 폐하와 전하께 감사하는 마음을 잊어선 안 돼. 도움을 준 할아범과 비알 님께. 지금도 옆에 있어주시는 크르트 님께. 그리고 이 자리에 서게 해주신 기림 선생님과 마리아 선생님…… 아니, 림 도사님과 마리우스 선생님이지. 두 분께 깊이 감사드려야 해. 나도 그 집에서 많은 도움을 받았으니까."

나는 아란의 손을 잡았다. 아, 굳은살이 생겼어.

검과 마법 둘 다 열심히 단련하는구나. 감동이야.

기억 속의 아란의 손보다 거친 손을 어루만졌다.

"아란이 이렇게 열심히 하니 나도 더 열심히 해야겠네."

우는소리를 할 때가 아니야. 어쩌면 곧 이웃나라와의 전쟁이 시작될지도 몰라.

소설과 흐름이 다르니 지금 그들이 어디서 무엇을 하는지 모른다는 게 무서워.

돼지의 심부름꾼은 지금 어디에 숨어 있는 걸까.

"누님, 누님은 늘 열심히 하고 계세요."

"어머, 기쁘구나, 아란."

흑장미를 따라줘서 고마워, 아란.

이 세계는 나에게 조금도 친절하지 않지만 아란의 미래를 위해서 최고의 무대를 만들겠어. 우선은 돼지 잔당과 에릭 아무개를 뒤에서 조종하는 녀석들이 동일인물인지 아닌지를 확인해야 해.

그 후엔 물론 사랑의 징검다리도…….

"그건 그렇고 아란, 나 조금 전 경기를 보고 놀랐어. 설마 기림 선생님이 대현자이신 림 도사님이고 마리아 선생님이 마리우스 선생님이라니. 아란은 어떻게 생각했어?"

아란의 눈높이까지 무릎을 꿇고 찬찬히 표정을 살폈다.

반했어? 아니면 끌렸어?

크르트 님과의 사랑에 더해 선생님들의 의협심에 반했다면 이 흑장미, 역하렘을 위해서 얼마든지 암약할게.

그러니 아란, 부디 거짓 없는 진심을 알려줘. ……하고 눈동자를 들여다봤다.

"……드디어 정체를 드러냈군, 로리콘 녀석, 이라고."

……어?

"그래, 너희의 성장 정도로 볼 때 단순한 가정교사가 아니라고는 생각했지만 설마 림 도사님에 마리우스 선생님이었을 줄이야. 아버지께 한 방 먹었어."

"네, 폐하도 짓궂으세요."

"정말이야."

……어, 어어?

"전하?"

"……정말, 아란의 마음을 모르는 것도 아니야. 이 녀석은 정말로 둔하니까."

잠깐, 전하. 너 우리 귀여운 아란에게 무슨 바람을 불어넣는 거야.

아니, 어두운 부분이 있어도 아란은 완전 귀엽지만!

"아, 아란? 선생님들은 딱히 속인 게 아니라 부득이한 사정이 있었을 거야. 그러니까 그런 험악한 표정은 짓지 마."

아란, 아란, 원래의 최고로 귀엽고 사랑스러운 아란으로 돌아와줘!

"누님은 사람이 너무 좋으세요. 기림 선생님은 무영창으로 마법진을 그리지만 학원에는 그런 걸 할 수 있는 선생님은 한 분도 없었어요. 마리아 선생님은 미인이지만 목젖이 있었고 가슴은 가슴이라기보다 갑빠였고 게다가 거칠고. 애초에 그 두 사람…… 아뇨, 이제 됐어요."

"분명히 말해. 중간에 끊으면 더 궁금하잖아."

전하의 목소리에 아란이 나를 올려다보았다.

붉게 물든 뺨이 귀여워요. 아란, 할짝할짝 해도 되겠니?

"선생님들이 누님이 쳐다보는 눈빛이라든가 부르는 목소리라든가, 그……."

"아아! 그건 확실히 관능적이야!"

……그야 상대는 에로 엘프니까. 한 명은 하이 엘프고 다른 한 명은 하프 엘프인 모양이니까.

설마 했던 아란의 발언에 깜짝 놀랐다.

진정해, 엘로즈. 실연에 잠겨 있을 때가 아니야. 에로 엘프 같은 말을 할 때가 아니야. 입 밖에 내지 않았으니 세이프지만 도대체 어떻게 된 거야, 아란.

"너는 이제 어디로 갈 거야? 림 도사님? 마리우스 선생님? 아니면 그대로 딕섬 공의 저택으로 갈 작정이야?"

아란에게 말을 걸려는데 전하가 끼어들었다.

"물론 아트페로 돌아갈 거예요. 그 전에 이 드레스를 돌려드려야 해서 공작가의 대기실에 들를 거예요. 그리고…… 일이니까 림 도사님 댁에도 마리우스 선생님 댁에도 갈 거예요."

완벽한 직업 정신을 추구하고 있다.

내 일이 내일의 아란의 행복으로 이어지는 거니까 대충할 순 없어!

"널 계속 속여온 건데 거기에 대한 분노는 없는 거야?"

미간에 주름 잡지 마. 그림 같은 왕자님 얼굴이 엉망이 되잖아.

음. 그리고 이 포지션은 여자들의 시선이 따가워.

왕자님에게 팔을 잡힌 소녀, 곁에서 시중을 드는 미소년 두 명……이라니, 소설의 흑장미에게는 웃음이 절로 날 황홀한 상황이겠지만 나에게는 안 좋았다.

역시 흑장미에게 당연한 것은 인왕상(仁王像)에게 밟히는 자귀(子鬼)같은 모습이겠지.

아, 하지만 지금 알맹이는 나니까 가능하면 살살 부탁한다.

“이상한 말씀을 하시네요. ……그 집에 잠입할 때 신분을 숨기는 건 당연해요. 전하도 아시잖아요? 그 집의 악행을 폭로하기 위해서라면 더더욱.”

가정교사는 신분을 숨기기 위한 방패막이였을 것이다.

냉정하게 생각하면 집에 들어갔던 시기적으로 볼 때 돼지의 자식도 돼지인지 확인하기 위해서 잠입했었다고 보는 게 맞을 것이다.

그리고 운명적으로 만난 아란을 보고 첫눈에 반하고 그 숨겨진 마법 소양도 흥미를 끌어 아란을 집에서 구출하기 위해 두 사람이 움직였다고 봐야할 것이다.

이해한다. 귀여운 얼굴에 가녀린 팔다리, 솔직하고 씩씩하고 헌신적이고 품에 안고 지켜주고 싶은 귀여움 안에 비밀스러운 힘을 지닌 유리 같은 소녀.

고운 빛깔은 숨기려 해도 숨겨지지 않고 수많은 남자를 매료하는 법이죠.

끌리지 않을 남자가 있을까요? 아니 없을 것이다!

문제를 말하자면 나이 차이가 너무 많이 난다. 가볍게 100년은 차이가 난다. 하지만 최근 며칠간 림 도사님과 마리우스 선생님의 댁에 일하러 갔던 덕에 진지한 분들이라는 것을 깊이 깨달았다.

진지함, 성실함, 예의바른 성품을 표현하는 단어는 많고 많지만 선생님들을 나타내기에는 아직 부족하다.

그래서 두 분은 분명 고민하셨을 거라 생각한다.

신분, 나이, 성별, 종족. 가로막아 선 벽은 분명 높았을 것이다.

하지만 단념하고 잊으려 해도 억누를 수 없는 연심. 두 분은 모든 울타리를 끊어내고 이곳에 선 것이다.

깔아 눕히고 앙앙하고 싶지만 그 전에 자기소개를 해야만 한다. 마리우스 선생님도 필사적일 것이다. 이대로라면 의지할 수 있는 누나 취급을 받고 림 도사님 혼자 승자가 되고 말 테니까. 하지만 다행이도 마리우스 선생님은 아란이 여장이라는 걸 간파하고 있었다. 엄청난 혜안! 그리고 나는 옹이 눈!

더욱이 보호자인 나에게 두 분은 "아드님을 주세요."라고 해야만 한다.

기림 선생님이라고 생각하면 가슴이 조금……. 하지만 분명 힘이 되어 드릴 거다.

선생님들은 떨어져 있는 사이에 기숙사 생활을 시작한 아란을 크르트 님에게 빼앗기게 될 판이어서 초조했던 걸까.

그래서 나라의 최강 중 한 명이면서 어른스럽지 못하게 토너먼트에 난입했다.

당연히 쉽게 우승을 차지하고 정체를 밝히고 지금부터 설레는 고백 타입이었다.

얼른 사촌을 내쫓고 아란을 선생님들의 대기실로 유도해야 해. 어떡하지?

“이름을 밝혔다면 살인 특권을 인정받을 수 있었을 텐데. 일을 번거롭게 만드시네.”

확실히!

“하지만 그렇게 되면 두 분의 이름에 흠집이 생겨요.”

전형적인 악역이라도 확실한 증거가 있어야 한다.

뭐 상대가 우리 집 돼지라면 설령 살인 특권을 쓴다 해도 규탄받을 리 없지만.

림 도사님과 마리우스 선생님이 마지막 선고를 했다라는 것만으로도 악당은 명백히 우리 집 돼지라는 걸 알 수 있다. 그 정도로 두 분은 청렴결백하다. 돼지 한두 마리를 죽인 정도로 두 분의 경력에 흠집이 생기지는 않는다.

“하지만 이름을 숨겨주신 덕분에 저도 아란도 최고의 교육을 받을 수 있었어요. 아란이 마법 소양을 꽃피울 수 있었던 건 틀림없이 두 분의 가르침 덕분이고 제가 이렇게 생활할 수 있는 것도 두 분의 교육 덕분이에요. 그 은혜에 보답하기 위해서 제가 두 분께 보답하는 건 당연한 일이에요.”

전하의 눈을 보면서 담담히 말을 이었다.

하지만 전하는 납득하기 어려운 모양이었다. 깊고 푸른 눈동자가 의심하듯 흔들렸다.

"전하는 그들을 원망하지 않느냐고 물으셨죠?"

"그래."

뒷말을 재촉하는 눈빛에 나는 희미하게 미소 지었다.

"네, 원망해요. 두 분에게 진짜 모습을 숨기게 만든 악랄한 우리 집안을."

"……로즈."

"하지만 그 원망도 길게 가진 않았어요. 그 악행 덕분에 선생님들을 만날 수 있었으니까요. 원래는 인연을 맺을 리 없는 구름 위의 분들이에요. 그러니 선생님들도, 그걸 지시했던 왕가 분들도 걱정하실 필요는 없어요. 저도 아란도 그 이상의 은혜를 받았으니까요."

두 분께는 큰 도움을 받았다.

돼지가 하는 말을 듣지 않는 딸은 스스로 지식을 쌓아 스스로를 지킬 수밖에 없었다.

"넌 언제나 그래. 혼자서 일어서려고 하지."

"저는 저니까요."

기림 선생님과 마리아 선생님의 가르침대로 누구의 도움도 받지 않고 일어서는 거다. 일어서야만 한다.

전하가 크게 한숨을 내쉬었다. 분명 몰래 명령했을 폐하나 할아버지께 갈 곳 없는 분노를 느끼고 있을 것이다.

도울 마음이 있었다면 좀 더 빨리, 확실히 도우라고 말하고 싶었을 것이다.

……정말 바보처럼 솔직한 사람이니까.

그런 걸 드러내놓고 할 수 없을 만큼 아클라우스가가 나쁜 길에 빠졌으니 어쩔 수 없잖아?

그리고 그런 나를 도우려 했던 너이기에 더욱 그 손은 잡을 수 없어.

슬슬 대기실로 가려고 그쪽을 향하자 진지한 표정을 한 아란이 팔을 붙잡았다.

"아란? 왜 그래?"

"누님, 제가 선생님들 대신 누님을 고용할게요. 누님에게 무슨 일이 생기고 난 후에는 늦어요. 그래도 되죠?"

"아란. 무슨 일이 있을 리 없어. 나는 그냥 가정부래도?"

"그럴 리 없어요!"

"그럴 리 없잖아요!"

"그럴 리가 있냐, 멍청아!"

세 명이 모두 딱 잘라 말했어요. 흑장미, 왜 혼난 거야.

"림 도사님과 마리우스 선생님은 갈 곳 없는 저를 불쌍하게 여겨서 고용해주신 것뿐이에요. 게다가 아란과 달리 마법 소양이 낮은 저는 아란에게 족쇄가 될 순 있어도 결코 유익한 존재는 될 수 없어요. 곁에서 지켜봐주시는 거야."

어째선지 아란이 눈물이 그렁한 눈으로 노려보았다.

우, 아란. 누나가 뭘 잘못했니?

"아, 아란, 어째서……."

"누님은 족쇄 따위가 아니야. 내 목표고 내 소중한 누님이야. 누님은 오해하고 있어요. 선생님들은……. 아아, 진짜! 옛날부터 그 두 사람은 누님을 차지하려고 서로 싸웠었잖아요! 누님, 어째서 눈치채지 못 하는 거예요! 끌어안거나 안아 올리거나 무릎에 앉히거나 스킨십이 심하니까 내가 필사적으로 그들의 방파제 역할을 했었는데! 내가 집을 나가자마자 그들이 누님을 차지했어!"

"아, 아란? 진정해. 대체 왜 그래? 그건 선생님들에게 옛날 버릇이 남아 있었던 것뿐이야. 옛날부터 무릎 위에 앉아서 공부했던 거 기억하지? 너도 선생님들께 안겼었잖아."

아란, 돌아와아아아아아.

"그건 선생님들과 잘 지내면 누님이 기뻐했으니까요. 새로운 걸 익혀서 보여주면 누님이 좋아했으니까. 그리고 누님에게 끈적하게 구는 것만 빼면 존경할 만한 선생님이었어요. 불필요한 가르침은 하나도 없었어요. 하지만 마지막으로 건넨 편지에 『누님은 제가 지킬 테니 안심해 — 누님 앞에서 사라져 — 주세요.』라고 썼는데! 설마 로리콘이 왕성에서 확고한 지위를 구축하고 있을 줄은 몰랐어! 그리고 누님은 좀 더 위기의식을 가져주세요!"

지금 그 위기를 혹독하게 느끼고 있다.

아란의 눈물과 진심 어린 호소에 콧구멍이 위험해. 완전 위험해. 귀엽고 멋지다니 무적이잖아. 전 세계 누나들이 쓰러지게 생겼어. 아란, 분명 총수였을 텐데 남자다움이 넘치는 아란, 모에해.

하지만 아란, 괜찮아. 이 흑장미, 림 도사님도 마리우스 선생님도 길들이려 했던 것뿐이야. 질투하는 아란은 귀여움 백 배지만 질투할 대상이 틀렸어.

뭐, 아직 여덟 살이고. 앞날은 길다.

"아란이 말한 대로입니다. 부디 아란 말을 듣고 우리 기숙사로 와주세요."

크르트 님까지 미간에 주름을 잡았다. 미간에 주름이 잡혀도 완전 꽃미남. 아홉 살이라도 완전 꽃미남. 살아 있어서 다행이야.

"아 정말, 너 말이야. 고집 그만 피우고 왕성으로 와. 아트페에 헌병대를 보내는 것보다 경호하기도 편하고 림 도사님에게 잡아먹히기 전에 그 마법 식물에게 잡아먹힐까봐 무서워."

전하에 이르러서는 감당이 안 된다고 말하고 싶은 듯이 오른손을 내저었지만, 여기서 사촌 남동생이 나서준 덕에 분위기가 부드러워졌다. 다행이다.

"어머, 호호호. 익숙해지면 귀여운걸요? 마법 식물들도 절 알아봐주고요. 최근에는 완전히 삼켜지는 횟수도 줄었어요."

때, 때, 때, 때앵!

어디선가 종료음이 울린 것 같았어요.

"무, 누, 누, 님."

"뭐, 라."

"야, 너, 너! 잡아먹힌 거잖아! 너 알기나 아는 거야? 그건 말이야, 특수한 용해액을 가지고 있어서 사람을 녹이진 않지만 옷을 녹인다고!"

"알고 있어요."

초대받지 않은 손님이 어떤 꼴을 당하는지는 도사님 집에 가면 싫어도 몇 번은 보게 되니까.

내일도 분명 "히익"에 "히기이"에 "크아아"일 것이다. 나는 아득히 먼 곳을 바라보는 눈빛으로 말했다.

"오, 옷. ……옷? 누님, 옷? 이 녹는……."

"……아아, 확실히 그 씨앗의 원종은 특수 점액을 토해내서 사냥감의 움직임을 제압하고 성감도를 끌어올림으로써 포식당하는 생물의 고통을 완화시킨대요."

"가, 감도?"

"고통을 쾌감으로 변이시킴으로써 사냥감이 날뛰어서 식용 가능한 부분이 손실되는 것을 막는 동시에 생포가 가능해진다. 신선한 혈육과 내장은 영양소의 보고이므로 식용 가능한 부분의 손실은 적은 것이 이치에 맞다. 사냥감은 쾌감에 빠져 있는 사이에 뼈까지 먹히고 나서야 잡아먹힌 사실을 깨닫는다고, 교과서에 나와 있었지."

전하가 입을 뻐끔거리는 옆에서 아란과 크르트 님이 말을 주고받았다.

전하는 얼굴이 새빨개졌고 아란은 새파래졌고 크르트 님은 어딘가 먼 곳을 바라보면서 그 지식을 읊었다.

"누, 누누, 누님!"

아란이 당장이라도 울음을 터뜨릴 것 같아서 마음속으로 아름다운 미소를 그리며 성심껏 호소했다.

"아란, 걱정할 필요 없어. 제복이 녹을 뿐 실제로 해를 입는 게 아니야! 림 도사님이 바로 구해주시고 또 마법진이 그려진 제복을 지급해주셔서 최근에는 전부 녹진 않아. 기사복의 마법 식물 내성과 방어성 연구도 돼서 군의 방호복 성능 향상에도 도움이 될 것 같아!"

"……로즈, 더 이상 말하지 마."

전하가 머리를 감싸 안고 한숨을 내쉬었다.

"전하. 저 한 번 더 선생님에게 도전해도 될까요? 그런 위험 생물을 어째서 실내에서 기르고 있는지, 어째서 방목하고 있는지 찬찬히 들어보고 싶어요."

"아란, 정신 차려. 그래도 현자야."

"나도 도울게."

"아, 아란, 크르트 님도 진정해줘."

메마른 미소를 짓는 아란과 담담히 도검을 뽑아 양면을 햇빛에 비추는 크르트 님 앞에서 하마터면 오줌을 지릴 뻔했다.

뭔가 없을까? 아란이 내뿜는 강렬한 위험 신호를 푸른 신호로 바꿔줄 정보가!

폐하께 만들어준 도시락 정보는 안 되겠지. 들키면 내가 곤란해진다.

림 도사님이 좋아하는 두부 요리……, 지금 림 도사님의 「ㄹ」만 발음해도 이 세계가 끝날 것 같다.

남은 건……그래!

"아란, 림 도사님 댁 다음 날은 마리우스 선생님 댁 담당인데 꼭 머리부터 발끝까지 진찰해주셔. 왕성의 최고 의사가 직접 말이야! 그러니까 정말로 괜찮아!"

……아란이 멈췄다.

이어서 전하와 크르트 님도 멈췄다.

눈앞에서 손을 흔들어도 누구도 반응하지 않았다.

이거 어쩌지.

"어머나, 후후후."

"……너, 뭘 어떻게 하면 이렇게 되는 거야. 수녀."

나르가 어이없는 표정으로 내려다봤다. 각기 다른 모습으로 굳어버린 세 사람을 어쩌면 좋을지 몰라 쩔쩔매고 있었더니 공작부인과 나르가 나를 찾아왔다. 하늘이 도운 것이다.

"아란에게 걱정 끼쳐선 안 된다는 생각에 지금 하고 있는 일에 대해서 말했는데 괜히 걱정하게 만든 모양이에요. 전 괜찮은데."

촉수 식물이든 박제 애호가든 덤벼라. 통째로 세탁해줄 테니까!

"일은 계속 하고 싶은 거지?"

"네. 물론이에요."

빚 변제는 중요해!

"그래. 그럼 동생과 제대로 이야기하는 게 좋아. 이 나이에 떨어져서 지내고 있으니 마음이 놓이지 않는 거겠지. 타이르는 게 아니라 동생의 이야기도 들어주렴."

"아, 네."

확실히 지금까지는 가장으로서 아란에게 명령만 했다는 것을 깨달았다.

다 잘 되라고 한 결정이지만 아란은 흐름에 몸을 맡겨온 거겠죠.

앞으로의 전망이라면…….

아란 러브러브, 역하렘 총수 앙앙 축제면 안 되는 걸까……?

"……전하 일행 옆에는 내가 있을 테니까 이 녀석하고 제대로 이야기하고 와."

나르가 그렇게 말하며 우리를 보내줬어요.

아란과 둘이서 손을 잡고 대기실까지 걷기 시작했다.

내가 이끄는 대로 비틀거리는 걸음으로 쫓아오는 아란의 모습은 처음 만났던 다섯 살 무렵을 떠올리게 했다.

……이렇게 넓은 저택 안을 아란과 함께 자주 뛰어다녔었지.

처음에는 아란을 괴롭히려는 엄마 돼지를 피해서. 다음에는 우리에게 못된 장난을 치려고 접근하는 쓰레기를 따돌리기 위해서.

탐정과 인간의 존엄을 건 술래잡기는 기척을 죽이는 법을 터득하게 했다.

그리고 가죽 한 장에 숨겨진 선의와 악의에 민감해졌다.

모퉁이나 벽 하나를 사이에 둔 옆방 사람의 기척에도 민감해졌다.

닌자도 울고 갈 은밀한 수행의 연속. 정강이를 걷어차인 남자가 위축된 틈을 노려 아란의 손을 잡고 도망쳤었던가.

"누님, 저와 함께 살아요! 기숙사에는 메이드가 쓰는 방도 있어요. 물론 누님을 메이드 취급하는 건 아니지만 표면적으로 제 메이

드인 걸로 해두면 함께 살 수 있어요."

울먹이는 표정으로 주장하는 아란의 입술에 검지를 가져다 댔다.

쉿, 동그랗게 눈을 뜬 아란. 완전 모에였다.

"아란, 나는 지금의 생활이 만족스러워. 이대로 아트페에서 살아가려고 해. 네 족쇄가 되고 싶지 않아."

"누님, 누님은 족쇄가 아니에요."

"하지만 내가 약하다는 건 알고 있지? 전하의 측근이라는 지위는 앞으로도 계속되는 거야. 나는 수비의 요체도 될 수 없는 약점일 뿐이야. 만약 내가 눈앞에서 검에 찔리게 될 상황이라고 해도 아란은 전하를 지킬 수 있어?"

"난! 내가 전하와 누님을 모두 지켜요! 그리고 만약 같은 건 생각하지 않아도 돼요. 그런 일이 생기지 않도록 하기 위해서 내가 있는 거니까. 그러니까 누님은 안심하세요. 네?"

마주잡은 손을 강하게 쥐었다. 아란이 눈을 동그랗게 떴다.

나는 그 눈을 보면서 미소 지었다.

"고마워, 아란. 무척 강해졌구나. 하지만 나도 네가 생각하는 것만큼 널 지키고 싶어. 이상하려나?"

"누, 님."

"난 네 누나잖아. 누나는 남동생 앞에서는 허세를 부리고 싶은 법이야. 네 손에서는 강한 힘이 느껴져. 열심히 노력하고 있다는 걸 잘 알 수 있어. 있지, 아란. 난 이미 충분히 보호받고 있어. 앞으로는 네 손으로 이 나라를 지켜줘. 전하를, 백부님을, 이 나라에서 살아가는 사람들의 생명을."

"누님. 난 누님을 지키기 위해서 훈련해왔어요. 누님도 이 나라의 백성도 꼭 지킬게요. 그러니까."

"그게 아란의 꿈이지?"

"네."

"멋진 꿈이야. 누나는 네가 무척 자랑스러워."

"누, 님."

멍하게 중얼거리는 아란의 얼굴을 바라보며 만감이 교차하는 마음을 담아 볼에 입술을 가져갔다.

입술이 귓불에 닿을 정도로 가까웠다. 숨결이 느껴지는 거리에서 속삭였다.

"(아란, 공작가 대기실에 침입자가 숨어 있는 것 같아. 선생님들을 불러와.)"

"누니—."

입술이 어째서, 라고 움직이는 것을 알고 가로막듯 덧붙였다.

"아란 님, 에스코트 고마워요. 그럼 이만 전하 곁으로 돌아가세요."

우격다짐으로 목소리에 삼엄함을 더해 말했다.

미소를 지으면서 아란의 눈동자를 눈으로 꿰뚫었다. 괜찮다. 분명 알아줄 거다.

침입자의 목적은 아이라 님이겠지. 즉, 나.

여자 한 명이라면 방심하겠지만 소년이라고 해도 남자가 있으면 이야기는 다르다. 방심하게 만들고 그 틈에 체포하기 위한 인원을 확보한다. 감정에 휩쓸리지 않고 그것이 가능하다면.

"저야말로 도움이 되어서 영광입니다. 그럼 전 이만 실례하겠습니다."

합격이다.

아아, 성장했다. 그렇게 느껴지는 순간이었다. 더도 덜도 없이 기뻤다. 우아하게 떠나는 아란의 뒷모습을 눈으로 좇았다.

왼쪽 모퉁이를 돌아 달려가는 발소리를 듣고, 어깨에서 힘이 빠졌다.

틀림없이 선생님들이 있는 대기실로 향한 것 같았다.

그렇다면 안심이다. 곧 도와주러 올 것이다.

분명 잠입한 것은 에릭 아무개겠지.

정신을 가다듬고 오른손의 부적을 꼭 쥐었다. 림 도사님이 주신 긴급 피난용의 강력한 부적이다. 너무 긴장한 나머지 손이 떨렸다.

가볍게 노크한 후 문을 열고 방 안을 둘러보았다.

고요한 실내에 인기척은 느껴지지 않았다.

그건 당연했다. 사람이 있을 리 없다.

하지만 조금 전에 벽 너머로 인기척을 느꼈다.

평소라면 기분 탓이라고 생각했겠지만 지금 머릿속에서 경종이 울리고 있었다. 나는 스스로의 감을 믿는다. 근거 없는 이 감에 몇 번이나 도움을 받았는지 모른다.

"누구죠? 허락도 없이 공작가 대기실에 들어오는 건 실례죠. 어서 나오세요."

아클라우스가의 쓸데없이 넓은 저택의 모퉁이에서, 무인일 터인 온실에서, 돼지가 주최한 무도회에서, 돼지 커플이 초대한 손님과의 회식에서, 사람이 없을 터인 정자에서—, 이 경종에 따라 도망치지 않았다면 지금쯤 나는 원치 않는 결혼을 강요받았을 것이다.

어쩌면 이 위기 감지 능력이 나의 환생 능력일지도 모른다. 이 분위기로 배드 엔딩도 피하고 싶다.

"……나올 수 없다는 건 떳떳하지 못한 점이 있다고 봐도 되겠지?"

순간이었지만 확실히 공기가 움직였다. 제아무리 밀정이라도 동요를 다 숨기지는 못한 모양이었다. 나는 오른손 안에 든 부적에 입술을 가져갔다.

이 때다!

손 안의 부적을 방에 던지고 서둘러 문을 닫았다. 완전히 닫는 순간, 대기실의 문이 열리고 사람 그림자가 우르르 쏟아지는 게 보였다.

귀족 아가씨 한 명이라고 무시했었는데 문을 열자마자 간파당해 꽤 당황했을 것이다.

지체 없이 뛰쳐나왔으면 좋았을 것을, 그래도 그들은 분명 승리를 확신했을 것이다. 어쨌든 아가씨 한 명이니까. 쫓아가서 붙잡으면 된다. ……그렇게 생각한 게 틀림없다. 승기를 놓친 사실도 깨닫지 못한 채…….

문 앞에서 잠자코 있자 별안간 실내가 소란스러워졌다.

퍽! 퍽! 쿵! 하고 소리가 울리기 시작했다. 침입자는 나름대로 우수했는지 목소리는 들리지 않았다.

캉! 카랑! 캉그리리링! 단단한 외피에 칼날이 부딪치는 소리가 울렸다. 아무래도 침입자가 위협과 맞서고 있는 모양이었다.

"하지만 이미 늦었어요."

포퐁퐁퐁퐁, 하고 맥 빠지는 소리가 울렸다.

그 익숙한 소리에 안에서 무슨 일이 일어났는지를 알 수 있었다.

"……거베라, 예쁘게 폈을까."

샤갸갸갸갸갸갸갸, 갸앗!

따다딱딱딱딱딱딱따아악!

"""히, 히이이이이이잇!"""

오늘도 최상의 컨디션이구나, 거베라. 손질을 게을리 하지 않는 너의 그 강철 이빨이 눈에 선하구나.

아득한 눈으로 그날 현관에서 벌어진 참상을 떠올리고 있자 안에서 비명이 터져 나왔다. 밀정 역할에 충실했던 침입자들도 결국 체념한 모양이었다.

……내일 볼 터였던 광경을 오늘 보게 될 줄은 몰랐다.

아, 아아, 으아, 히이이이익! 놔! 놓으라고! 비켜, 하, 하지……!

우와아아아앗, 놔, 오지 마! 그, 그거, 뭐 할, 히이, 히이이이이익!

오지 마, 오지 마! 하지, 하지, 안 돼, 그렇게 문지르면 안 돼애앳!

목소리로 판단컨대 세 분이 입실한 모양이었다.

비명, 호통, 간청의 목소리가 점차 야릇해졌지만 문제없었다. 거베라가 만족할 때까지 정기를 빨릴 뿐이다.

림 도사님이 내게 주신 긴급 피난용 부적인 거베라 5호는 주로 관능, 쾌감과 관련된 정기를 즐겨 먹는 식충 식물이다.

그것도 악덕 고리대금업자도 울고 갈 고금리로 정○ 크흠, 정기를 흡수한다.

그 후 시간을 들여 괴롭히면서 뒤를 개발하는 잔혹성. 마지막에는 촉수를 한 번 휘둘러 사냥감이 사○…… 콜록, 그러니까, 정기를 발산할 때까지 조련한다. 이건 사냥감을 길게 확보하기 위해 고안한 거베라의 진화다.

조련된 사냥감은 솔선하여 거베라의 먹이가 되므로 거베라는 정기를 받아 반질반질, 배는 빵빵, 사냥감은 하늘에 오를 듯한 쾌감으로 심신에 만족을 얻는, 윈윈 관계를 구축한다.

더욱이 그 사냥감이 적국의 간첩일 경우에는 정보 수집에 안성맞춤인 굉장히 멋진 활동을 하는 촉수 식물이다.

사냥감을 머리부터 와드득 해치우는 거베라 1호 — 원종 흉폭. 단, 림 도사에게만은 절대 복종한다 — 나 사냥감의 공포를 좋아해 마찬가지로 뼈까지 으드득으드득 사랑해주는 2호, — 흉폭. 단, 림 도사에게만은 절대 복종한다 — 1호정도의 와일드함은 없지만 림 도사님의 개조 교육으로 파생한 신종 3호 — 림 도사 자택 경비원 —, 4호 — 왕성 경비원, 림 도사가 마리우스 선생과의 경기 때 소환한 그것 — 와 마찬가지로 익숙해지면 귀여운 촉수 괴물이다.

5호는 림 도사님이 최근에 개발한 여자아이의 호신용이에요.

1호부터 4호까지와 다르게 온화한 5호는 귀여운 크기의 꽃잎으로 — 도로 표지판 소 클래스 — , 색깔도 사랑스러운 핑크. 나도 무척 마음에 들었다.

나는 그대로 문 앞에서 거베라 5호가 만족할 때까지 기다렸다.

그 사이에 아란이 림 도사님과 마리우스 선생님을 데리고 엄청난 기세로 달려왔다.

"누님!"

"엘! 괜찮아?"

"로즈! 무사해?"

"괜찮아요. 지금 안에서 거베라가 붙잡고 있어요."

"그래…… 엘, 무사해서 다행이다……."

림 도사님이 끌어안고 머리 위에서 안도의 한숨을 내쉬었다.

귓가에 "엘."이라고 속삭이자 단숨에 얼굴에 피가 쏠렸다. 그야 기림 선생님의 목소리니까요. ……기림 선생님이니까 당연한가.

기림 선생님은 스킨십을 좋아하셨지만 림 도사님도 그런가 봐. ……본인이니까 당연한가.

그런 생각을 하고 있었더니 마리우스 선생님이 홱 떼어내 끌어안았다.

"무사해서 다행이야, 로즈……."

이 과격한 포옹. 너무 기억나!

마리아 선생님은 감정을 억누를 작정으로 폭발시키는 분이었다. 자주 이렇게 감정이 격해진 마리아 선생님이 격정적인 포옹을 해왔다. 지금 생각하면 공작부인과의 혈연이 잘 느껴지는 포옹법이다.

그래, 여성과 남성의 힘 차이였어.

……하지만 선생님, 무사한 건 확인했으니 딱히 끌어안을 필요는 없지 않을까요? 슬슬 등뼈가 한계에 도달할 것 같아요.

마리우스 선생님을 떼어낸 건 아란이었다.

기분 탓인지 아란의 푸른 눈동자가 험악했다. 주인공이 쳐다보면 나쁜 짓을 하지 않았어도 동요하고 만다.

괘, 괜찮아. 아란. 누나는 선생님들을 사랑하지 않아. 주요 인물을 좋아하다니 그건 완전 사망 플래그. 절대 안 돼.

“누님, 무사해서 다행이에요.”

내심 당황했지만 역시 주인공은 다르다.

꼭 매달려오는 아란이 솔직하고 귀여워서 마음에 찰 때까지 부드러운 머리카락을 쓰다듬었다. 끄아아아아, 귀여워어어!

“로즈, 침입자는 몇 명인지 알아냈어?”

“세 명이에요.”

마리우스 선생님의 질문에 아란과 끌어안은 채로 대답했다. 다시 활발한 움직임을 보이기 시작한 마리우스 선생님은 역시 의사라는 직업상 자세한 상황을 알고 싶어 하시기에 현재 파악한 모든 정보를 말씀드렸다.

“아직 안은 시끄럽네.”

“네.”

슥 주위를 둘러보자 마찬가지로 주위를 두리번거리던 림 도사님과 눈이 마주쳤다. 헤헤, 하고 웃음을 주고받았다. 그랬더니 아란의 팔에 힘이 들어갔다.

"아란, 이제 괜찮아. 선생님들도 와주셨고 이제 무섭지 않아."

"누, 나……. 누님을 잃게 될까봐 무서웠어요."

"걱정하게 만들었구나. 하지만 신하라면 결단력도 필요해. 난 아란이 제대로 선택해줘서 기뻐!"

"누님……."

귀엽고 기특해 아란을 꼭 껴안았다. 우리 천사! 너무 귀여워! 눈을 감고 실컷 아란을 보충했다. 으아아아, 뺨이 보들보들!

"안에 있는 자는 대체 뭘 하고 있어?"

"림 도사님이 주신 호신용 식물이 싸우고 있어요."

안에서 들려오는 목소리에 마리우스 선생님이 의아해해서 전투는 끝나고 다음 단계로 가고 있다는 것을 알렸다.

"……설마 그건가."

"네, 그거예요."

문 너머는 소란스럽달까 이미 헐떡이고 있었다. 마리우스 선생님도 눈치챈 것 같았다.

분명 남창 경험이 없는 남자들이겠지만 거베라가 열심히 조련하는 모양이었다. 쾌락 공격은 무서워.

"림! 넌 하필이면 그런 걸 나의 로즈에게!"

"누가 너의 로즈야. 크흠. 유능한 호위야. 뭐, 시각적으로 어떠냐고 묻는다면 할 말 없지만 그걸 제외하더라도 유능해. 명령할 때가지 씨 상태라서 어디든지 숨길 수 있고 인증에 필요한 혈액은 딱

한 방울, 나머지는 아이를 지키는 짐승처럼 적을 박멸한다고."

"박멸…… 조련한다는 말로밖에 안 들려."

"유익한 정보를 얻기 위해서는 필요한 과정이야. 게다가 세례를 받은 침입자는 여성에게 흥미를 잃는다는 장점이 있어. 엘을 호위하는 데는 최적이지."

정보전을 위해서라도 적 측의 정보는 탐나는 법이다. 그 김에 거베라는 신봉자가 늘고 먹이를 찾는 수고도 줄어서 일석이조다.

"잠시 후면 거베라가 유리한 정보를 끌어내줄 거예요."

문 너머에서 침입자들이 새로운 문을 연 모양이었어요.

굉장해, 굉장해, 라면서. 굉장하지.

왔어, 왔어, 라면서. 느낌이 오지.

알아요. 새로운 파도가 밀려온 거겠지.

"누님?"

어이쿠. 하지만 청소년(아란)의 건전한 육성을 위해서는 방치할 수 없는 사태다.

에로틱하고 그로테스크한 능욕 신에서 아란을 분리시켜야 한다.

안에서 벌어지는 그런 상황을 봐서 크르트 님과 건전한 연애 할 수 없게 되면 큰일이다.

문이 열리기 전에 아란을 안전한 장소로…… 라고 생각하는데 마리우스 선생님이 내 귀를, 림 도사님이 내 눈을 가렸다.

……으음.

"……선생님, 뭐 하세요?"

"로즈에게는 들려주고 싶지 않은 잡음이야."

"엘에게는 도저히 보여주고 싶지 않은 추태야."

"뭐……."

림 도사님, 새삼스러워요.

하지만 두 분의 말도 이해하기에 살며시 두 분의 손을 잡았다.

"고맙습니다. 하지만 이것도 일이니 전 아무렇지 않아요."

이 뒤처리는 이런 상황을 일으킨 내가 해야 한다. 특히 예의 그 얼룩은 빨리 제거하지 않으면 큰일이다. 얼른 옷을 갈아입고 청소도구를 가져와야 한다.

"아란, 전하께 전해주렴. 공작가 대기실에 침입자가 있다고. 넌 전하 곁에서 방패가 되어드려야 해. 알지?"

"네, 누님."

그래. 현실을 보기에는 너무 일러.

"현장의 안전이 확인될 때까지는 사람을 접근시키지 않도록 공작부인에게도 말을 전해줘."

"누님, 누님도 함께 가요! 전해 듣는 것도 그게 빨라요."

"안 돼. 난 지금 여기를 떠날 수 없어. 이건 내 일이야."

전하의 곁으로 돌아가는 아란의 표정에 가슴이 찔린 듯 아팠다.

그리고 나는 선생님들과 거베라가 만족하는 것을 기다렸다.

아직 기다리고 있다, 계속 기다리고 있다.

……아직도…… 으음…….

쾅쾅쾅. 나는 세게 문을 두드렸다.

"거베라. 거베라. 이제 이만하면 됐을까?"

거베라, 배가 고팠구나.

만족한 거베라로부터 잔뜩 초췌해진 사냥감을 림 도사님과 마리우스 선생님에게 넘겼다. 선생님들은 누가 나를 아트페에 데려다주느냐로 치열한 공방을 펼쳤지만 사양했다.

그 순간 꽃미남 두 명이 무릎을 꿇는 귀중한 장면을 목격했다.

다시 이야기로 돌아가서 붙잡힌 세 명 중 한 명은 역시 에릭 아무개였다.

에릭 아무개는 나를 보고 당황한 것 같았다. 아이라 님인 줄 알았는데 다른 사람이어서였다.

그 뒤에 있을 흑막까지 밝혀진다면 좋을 텐데.

거베라 5호는 다시 씨로 돌아와 내 손 안에 있었다.

이후 심문은 왕성에서. 심문은 거베라 4호가 맡을 모양이었다. ……잔인한 능욕을 위해 태어났다고밖에 설명할 수 없는 4호와 단체 미팅 예정이라…….

살아남아. 그 말밖에 떠오르지 않았다.

죄인을 연행해 가는 두 분을 배웅하고 나는 혼자 남아 화려한 옷을 벗었다.

림 도사님과 마리우스 선생님이 자리를 비켜주셔서 드디어 옷을 갈아입을 수 있었다. 지금은 이런 드레스도 혼자서 벗을 수 있다. 흑장미도 성장하는 거다!

칙칙한 옷으로 갈아입고 두건으로 머리카락을 덮으면 수녀 로즈

완성이다.

거베라의 뒤처리를 끝내고 — 기르는 사람의 의무죠 — 청소도구를 반납하고 공작가 일행에게 보고를 끝마치고 도구를 반납하고 수도원으로 돌아가는 나를 아란 3인조가 배웅해줬다.

"누님, 또 언제 만날 수 있어요?"

"아란. 곧 만날 수 있어."

울먹이는 표정으로 배웅하는 아란, 완전 모에. 뺨을 쓰다듬고 서로 미소를 주고받고 마차에 올라탔다. 편치 않은 마음으로 작아져가는 아란의 모습을 바라보았다.

시간으로 따지니 불과 하루 동안에 일어난 일이었다.

아침에 수도원을 떠나 학원에 향하고 나르에게 붙잡히고 공작부인에게 농락당하고 격랑의 투기 대회를 관전하고 선생님들의 진실을 알고 거베라의 용맹한 모습을 눈에 새기고 공작가 대기실을 쓸고 닦고 복수하고 아란과 헤어지고 지금에 이른 충실한 하루였다.

앞으로는 하루의 무사함을 감사하고 기도하고 빵과 수프를 먹고 잠드는 일상이 기다리고 있을 것이다.

……그런데 수도원은 불타고 있었다.

"……원장 선생님!"

활활 타오르는 수도원 앞에 모여 있는 수도녀들 앞에서, 한심하게도 나는 다리가 얼어붙어 꼼짝도 할 수가 없었다.

마음 한구석으로는 알고 있었다.

이건 내가 일으킨 일이라는 것을. 분명 그녀들에게도 차가운 표정으로 비난받으리라는 것을. 돌을 맞으며 쫓겨났던 흑장미의 최후처럼.

그런데 그녀들은 얼어붙은 나를 보며 웃어주었다.

"로즈, 외출 중에 널 찾아온 사람이 있었어."

원장 선생님이 빙그레 미소 지으며 말씀하셨다. 옷은 군데군데 타들어가 있었다.

"예의 그 부적을 만든 수녀를 내놓으라고 몰아댔지만 네가 말한 대로 이름도 알려주지 않았어."

수녀 로레인이 빙그레 웃었다.

"로즈는 우리의 귀여운 딸인걸. 그런 험한 자에게 넘길 수야 없지. 그렇지?"

가장 나이가 많은 할머니 수녀 테레사가 장난스럽게 말했다.

"헌병대가 애써 쫓아줬지만 그자들, 꽤나 분했던지 불을 질렀어."

통통한 수녀 포르테가 절레절레하며 어깨를 움츠렸다.

"목조 건물이잖아. 불이 확 번져서 겨우 도망쳤어."

수녀 실벤느가 그렇게 말하며 원의 중앙에서 바스락거렸다.

"헌병대도 많이 다쳤어. 치료하고 로즈의 부적을 줬으니 아마 괜찮겠지만. 움직일 수 있는 헌병은 주위를 경계하면서 신경이 곤두서 있고, 몇 명이서 도움을 요청하러 가기로 한 모양이야. ……그래서 우리는 더 이상 할 것도 없고 해서 이제부터 다 같이."

모여 있던 수녀 모두가 가느다란 막대기를 손에 들고 큰 빵 덩어리를 찌르더니 어이차, 하며 일어났다.

"""""빵이라도 구워 먹으려고."""""

"모처럼 불이 붙었으니 이거야말로 신의 은총이지. 빵을 굽고 아껴뒀던 치즈도 구울까? 애써준 헌병대에게도 나눠줄 만큼 비축해 둔 게 있어. 이것도 다 로즈의 부적 덕분이야. 실외 얼음 창고에 숙성시켜둬서 다행이야. 이렇게 뜨거운 빵과 치즈를 먹으면 배도 마음도 따뜻해져서 눈물 따윈 쏙 들어가 버릴 거야. 그렇지? 로즈?"

원장 선생님이 웃으며 한쪽 눈을 감으려다 두 눈을 감았다.

"죄송합, 니, 다. 제, 가."

여기를 피난처로 정하자마자.

"자, 로즈. 네 몫의 빵과 치즈란다."

"죄송, 해요, 죄송……."

수녀님들에게도 끔찍한 일을 겪게 하고 보금자리마저 빼앗고 말았다.

"로즈. 죄송해요가 아니라 고맙다는 말을 듣고 싶구나. 나는 행복해. 딸을 지키는 어머니의 마음을 느낄 수 있었어. 어머니라면 아이를 지키는 게 당연하잖니? 그럼 그에 걸맞은 말을 듣고 싶어."

"그래, 그래. 울음을 그치면 다쳐서 누워 있는 헌병대에게 빵을 가져다주겠니? 우리 같은 늙은이들보다야 로즈가 가는 게 기쁠 거야."

"그래, 그래. 간 김에 위로도 해주면 녀석들, 오기로라도 앞으로 우리를 지켜주려고 할 거야. 어쨌든 우리가 로즈의 어머니니까."

틀림없다며 서로 웃는 수녀들은 계율에 따라 아이를 가질 수 없다. 하지만 그 마음은 여성으로서의 삶을 선택한 내 어머니보다 훨씬 따뜻한 모성으로 가득 차 있었다.

"따뜻한 음식을 먹고 웃으며 기다리고 있으면 머지않아 왕도에서 마차가 올 거다. 그러니 로즈, 이제 그만 울음을 그치렴."

수녀님들의 따뜻한 눈빛이 쏟아졌다.

"원장 선생님, 모두들…… 도와주셔서, 또 모두들 무사해서 정말로, 정말로…… 고마워요. 어머니들!"

크게 외치며 목 놓아 울었다.

그 집에 있었을 때라면 눈총을 받고 꾸지람을 들을, 영애에게 어울리지 않는 울음이었다.

눈물 콧물로 범벅이 된 굉장한 얼굴일 텐데 원장 선생님도 수녀님들도 웃으며 어깨를 토닥여주시고 번갈아가며 어머니가 사랑하는 딸을 안아주듯이 안아주셨다.

이렇게 흑장미는 단 하루 만에 또 보금자리를 잃었지만 많은 어머니를 얻었다.

***

성대한 캠프파이어 앞에서 하룻밤을 보낼 터였지만 왕성이 헌병대의 신속한 구원 요청에 응해 우리는 노숙을 면했다.

왕도로 달려가주신 헌병님, 감사합니다.

「전」 아트페 수도원 앞은 지금 사람과 말로 소란스러웠다.

내가 수도원에 도착하고 나서 불과 두 시간 사이에 완전 무장한 기사님들이 한 곳에 모였다.

살기가 등등했어요.

전쟁인가. 전쟁인 건가.

나라의 끄트머리에 위치한 수도원이기에 중앙의 관리는 아트페? 뭐야, 그거 맛있어? 라고 인식할지라도 국민의 평화를 짊어진 헌병대, 더욱이 헌병대를 총괄하는 국가로서는 설령 일개 작은 수도원일지라도 이 일을 모른 척한다면 국가로서의 체면이 서지 않을 것이다.

허세는 중요하다. 하지만 이들은 어떨까요.

폐하의 옆에 있어야 할 장군이 말 위에서 지휘봉을 잡고 있다.

마찬가지로 폐하 옆에 있어야 할 림 도사님과 마리우스 선생님의 모습도 보였다.

어이쿠, 복숭앗빛 대원도 이리저리 말머리를 돌리며 각 부대를 지휘하고 있었다. 에로스 대원은 아직 몸이 가벼우니 그렇다 쳐도 앞서 언급한 분들은 왕성에 있는 게 좋을 것 같았다.

이런 벽지에서 진두지휘를 할 분들이 아닌데도 적극적인 지휘를 펼쳤다.

그렇게 되면 이웃나라는 끝장이다. 지금쯤 허둥지둥 타개책을 짜고 있겠지만 상황을 뒤집을 요소가 조금도 없는 것이 명백했다.

하지만 깜짝 놀랐다.

캠프파이어 불로 빵과 치즈를 굽고 수녀님들은 와인을 마시며 즐겁게 춤을 추고 있었는데, 뭐랄까 엄청난 기세로 우리에게 돌진해 온 그들은…… 마적으로밖에 보이지 않았다. 죄송합니다.

원장 선생님의 "로즈, 도망쳐!"라는 비명과 함께 부상당해 누워 있던 헌병들까지 지팡이 대신 검을 짚고 일어나 임전 태세였다.

내 눈앞에 먹빛 옷을 입은 사람들의 울타리가 생겼다. 하지만 나도 싸울 수 있었다. 적에게 뒤를 보일 수는 없었다. 기합을 넣으며 빈 와인 병을 꽉 쥐었다. 수녀님들도 각자 가까이에 있던 무기가 될 만한 물건을 손에 집어 들었다. 하지만 수녀님, 길쭉한 바게트 빵은 무기가 되어주지 못할 거예요.

모두의 기합은 충분했다. 자, 덤벼! 하고 가볍게 스윙을 날렸다.

……뭐, 마적도 적국의 병사도 아닌 왕성 소속의 기사님들이었기에 하하 뭐지, 로 끝났지만……. 쥐고 있던 와인 병을 슬쩍 내려놓았다.

그 후 어째선지 장군이 이끄는 군부의 거대한 텐트 안으로 안내받았다. 원장 선생님도 함께 가는 줄 알았지만 웃는 얼굴로 배웅해주셨다.

잠깐. 텐트 안에는 어떻게 옮겼나 싶을 만큼 중후한 회의 테이블이 놓여 있고, 군인과 문관들이 어지럽게 뒤섞여 있었다. 림 도사님과 마리우스 선생님도 있었다. 회의는 한창 진행 중이었다.

"……와 같이, 그 나라는 최근 몇 년간 흉작이 계속되고 있고, 더욱이 수도와 가까운 광산에서 나온 광독이 하천으로 흘러들어 적지 않은 농경지가 버려지고 다른 농지에서도 일조나 물 부족으로 농작물 수확량이 줄어든 것이 배경에 있을 것으로 보입니다."

안내받은 입구에서 정세를 설명하는 문관의 모습을 보고 있었다. 그가 장군에게 보고를 마치자 다음 사람이 말하기 시작했다.

타국의 정세에 귀를 기울이는 것은 나라의 중진에게는 당연한 일이지만 나 같은 사람이 있는 앞에서 말해도 괜찮은 걸까.

입구에 가만히 서 있는 나를 알아본 림 도사님이 옆자리를 가리켰지만, 그런 곳에서 마음이 편할 리가 없었다. 마리우스 선생님까지 손짓을 해서 쓱 안을 둘러보았다.

예상한 대로 텐트 구석에서 시종이 차를 준비하고 있었어요.

호호, 처음부터 차 준비를 돕기 위해 불려왔어요~ 라는 듯이 재빨리 장군의 시종에게로 갔다.

"도와드릴게요."

"아, 고맙습니다. 수녀님."

재빨리 차기를 데우기 시작한 나를 보고 림 도사님과 마리우스 선생님도 곁으로 부르는 것을 포기한 것 같았다. 회의는 계속됐다.

"흙과 물을 개선하지 않는 한 농사는 기대할 수 없어. 도대체 그 나라는 뭘 하는 거야?"

다음 상황 설명 담당자는 이웃나라에 잠입했던 첩자인 것 같았다. 초라한 옷차림을 한 평범한 아저씨였다. 보고를 들은 장군이 얼굴을 찡그리더니 과묵한 얼굴을 옆으로 기울이며 녀석들, 멍청하지, 라고 단언했다. 겉보기와 다르게 신랄했다.

"광물은 그 나라의 자원 중에서도 가장 중요해서 수질 보호는 뒷전으로 미룬 거겠죠. 지금은 물 부족을 보충하려고 우물을 파고 있지만 기대에 못 미치는 수준인 모양입니다. 모든 대책이 그렇다고는 할 수 없지만 7할 정도가 실패하고 있습니다. 여론도 악화될 대로 악화됐습니다. 국경 부근 마을에서는 수도보다 우리나라에 돈을 벌러 오는 자들이 많을 정도입니다."

떠난 민심과 중앙 집권의 폐해가 이곳으로 온 걸까.

"그 결과가 영토 침범인가."

농지 확보가 목적일까. 아, 수원 지대 점령이 목적일지도!

나는 주변 지리를 떠올리면서 차를 끓였다.

"재빠른 농지 확보와 『녹색 손』의 확보가 목적이겠지."

장군의 말에 내 손도 멈췄다.

오, 소설에서 나오는 단어 「녹색 손」 등장! 5권 참조!

소설에 나오는 「녹색 손」은 녹색 마법을 쓰는 자들의 총칭이다.

림 도사님이 공기를 빨아들이듯 대마법을 사용할 수 있는 것처럼, 왕족 특화가 각 특성을 발휘하는 것처럼. 「녹색 손」은 그 손으로 만지기만 해도 황야를 비옥한 대지로 바꾸고 작물을 자라나게 할 수 있다. 그 힘 자체는 위협조차 안 될 만큼 작고 미약하지만 한 마을에 그들이 있고 없고는 수확량부터 차이가 난다. 그 옛날 녹색 손을 업신여겼던 영주의 비옥한 토지가 한순간 풀도 자라지 않는 사막으로 바뀐 적도 있었다. 반면 미미한 힘밖에 갖지 못한 녹색 손을 소중히 여긴 영주의 황지가 하룻밤 만에 극적으로 변한 적도 있었다.

그래서 아무리 미미한 자질이라고 해도「녹색 손」은 왕족 특성과 마찬가지로 국가가 보호했다.

소설에서는 흑장미의 부추김에 넘어간 이웃나라가 재빠른 농지 확보와 메마른 농지 회복을 위해「녹색 손」을 손에 넣으려 획책하고 그것이 훗날 전쟁으로 발전했다.

녀석들은 전하의 약혼자 후보를 죽이고 희대의 녹색 손인 마니 마르가 살고 있던 마을을 덮쳤다.

마니 마르는 마을 사람들의 기지로 몇몇 아이들과 함께 간신히 살아남았지만 그들이 국군과 함께 마을로 돌아갔을 때는 마을은 무참히 타버린 뒤였다. 마을 사람들은 몰살됐다. 자신이 재앙을 불러들였다는 것을 깨달은 마니 마르는 일시적으로 능력을 사용할 수 없게 됐다. 그 마음을 위로하고 치유해준 사람이 아란이었다.

소설에서 마니 마르를 끌어안고 위로하는 15세 아란이 너무 멋져서 몸부림쳤던 것을 기억한다. 좋은 장면이지만, 무척 감동적인 장면이지만…… 바람은 안 돼애애애애, 라고 외쳤던 기억이 있어요.

이번에 큰일을 당한 곳은 수도원이고 마니 마르의 마을이 아니었다. 부상자는 있지만 죽은 사람은 없었다.

게다가 마니 마르가 소설에 나오는 것은 아란이 왕성에 들어가 두각을 나타낼 무렵으로 시간적으로도 계산이 맞지 않는다. 뭐, 아란이 여덟 살에 학원에 들어갔을 때부터 시계열은 믿을 수 없게 됐지만. 이번 일도 원래는 이웃 마을을 덮칠 예정이었을지도 모른다.

"……그럴 만도 하지. 나라는 다르지만 같은 변경 지역에 같은 기후 풍토인데 자기 땅은 흉작이고 옆에 있는 남의 땅은 풍작이 들었어. 타향에 돈을 벌러 나와 있던 남자들은 모두 이상하게 생각했겠지. 그리고 자기 마을과 아주 살짝 떨어진 『이웃나라』의 그 마을에서는 수도원의 기묘한 부적을 숭배하고 있었어. 그 부적을 만든 사람을 『녹색 손』이라고 생각했대도 어쩔 수 없는 거야."

"그럼 수도원은 완전한 착각으로 습격당한 건가요? 수도원은 불타버렸는데…… 아, 죄, 죄송합니다. 중요한 회의 시간에 주제 넘는 말을."

안 돼. 무심코 말이 튀어나왔어. 황급히 머리를 숙였다. 나는 벽. 나는 공기.

"엘……."

"로즈……."

"과연 만만찮은 아가씨야. 이 경우, 녹색 손은 바로 너야."

"어머나, 무슨 말씀을."

자랑은 아니지만 저는 왕족 특화라거나 그런 쪽으로는 전혀 재능이 없었는걸요? 수수한 저주 관련 능력밖에 없는 반편이에게 녹색 손이라니 가당치 않아요.

하지만 완전한 착각이었다고 해도 악의와 재난을 불러들이는 민폐녀.

그게 납득할 만한 흑장미의 퀄리티였다.

역시 내 탓이라는 생각에 기분이 우울해졌다.

"……엘, 농민을 위해서 부적을 만든 적이 있어?"

림 도사가 입을 열었어요.

"부적이요? — 풍작 기원, 오곡 풍양 말인가? — 있어요."

시작 무렵, 수도원이나 고아원 바자회에 냈던 적이 있다. 오곡 풍양이라는 글자가 어려워서 몇 개 만들지 않았지만.

그런 생각을 하면서 대답하자 장군과 림 도사님이 얼굴을 마주 봤어요.

"**오곡 풍양**, 인가?"

"**오곡 풍양**, 입니다만."

"그거예요! 그런 느낌의 이상한 울림을 가진 단어였어요."

평범한 얼굴의 아저씨 첩자가 자기 생각과 일치한다는 듯이 끄덕였다.

"답은 나왔군. 수녀들을 몰아붙인 녀석들도 **오곡 풍양**의 주인(呪印)이 없다면 그걸 만든 자를 내놓으라고 시끄럽게 군 모양이군."

마리우스 선생님이 장군과 림 도사님에게 중얼거렸다.

"선전포고도 없이 쳐들어온 건 그 나라야. 더군다나 기습한 곳이 무저항의 수도원. 더욱이 수도녀를 상대로 행패를 부린 일도 그냥 넘길 수 없어. 수도원에 불을 지른 것도 신을 두려워하지 않는 만행이야. 주변국에도 주의를 촉구해야겠군. 엘, 한 가지 묻겠는데 그 부적은 앞으로도 제작이 가능한 거야?"

"아, 네."

림 도사님의 질문에 그렇다고 대답했다. 엄청난 시간과 노력과

끈기가 필요하지만.

수녀님과 고아원의 아이들에게 글자를 가르쳐줘서 도움을 받을 생각이지만 아직까지 잘 되지 않고 있어요. 아무래도 획수와 의미를 정확히 알고 만들어야 효력이 발생하는 것 같았다. 그래서 지금도 부적이나 수호의 팔찌는 혼자서 만들고 있다.

"그럼 이야기는 빠르겠네."

"귀족가보다 농민에게 먼저 알리죠."

"이웃나라와의 통상권을 가진 상인을 부르는 게 좋겠지. 그들의 라인은 이웃나라 귀족의 라인보다 견고하고 빨라."

오오, 림 도사님의 정보전이 시작될 모양이었다.

에로……. 아니, 대현자로 명망 높은 림 도사님은 물론 마법이 특기지만, 마법을 다루듯이 다양한 정보를 사용할 수 있었다. 표면적인 정보, 숨겨진 정보. 마치 정교하고 치밀하게 짜인 마법진처럼 림 도사님은 생각한 대로 뜻을 그릴 수 있었다.

소설에서도 그의 부하나, 모르는 사이에 부하가 된 개인이 다양한 장소에서 큰 소리로 외치거나 피를 토하듯이 울면서 뱉어낸 말은 림 도사님이 생각한 대로 정세를 조종했다.

어떤 자는 림 도사님의 뜻대로, 어떤 자는 적으로서 림 도사의 손바닥 안에서 놀아났다. 마지막까지 놀아난 사실을 모른 채로 죽은 자도 있었다.

장군이 계속해서 지시를 내리고 림 도사님이 보충을 하고 마리우스 선생님이 요점을 정리하고 병사들이 그에 따라 움직였다.

색기 없는 군용 텐트 안이지만 지금 이곳이 틀림없이 최전선, 가장 중요한 기관이었다.

"저, 저기, 저는 원장 선생님이 있는 곳으로 돌아갈게요."

"안 돼. 여기 있어."

"그래. 여기서 움직이지 마."

림 도사님의 즉답에 장군까지 덧붙였다.

무슨 말이신지.

"하, 하지만 기밀 사항도 있잖아요. 외부인이 알면 정보가 새어나갈 가능성도 배제할 수 없어요."

"기밀? 너보다 더 큰 기밀 정보는 없어."

"그래. 있는 건 사실뿐이다. 이웃나라는 선전포보도 없이 국경을 침범해 녹색 손을 자국으로 빼돌리려다 그것이 이루어지지 못할 걸 알자 살해를 꾀하고 증거를 인멸하기 위해 주거를 불태웠어. 악마 같은 짓이야."

"주변의 농민들은 흥분하겠지. 이 수도원의 『녹색 손』은 귀족, 평민을 차별하지 않고 주술을 부려준 모양이니까."

웃고 있는 림 도사님의 말투가 무서워.

"드문 능력을 가진 『녹색 손』이었어. 이웃나라는 정말 천벌을 받을 거야. 풍작을 기원하는 것뿐만 아니라 사람들의 건강을 기원하고 바람이 이루어지도록 노력하는 법을 알려주고 질병에 걸리지 않게 생활 습관을 고치도록 지도해준 귀한 녹색 손을 뜻에 맞지 않는다고 살해하고 시체조차 남지 않게 불태웠으니."

저기…… 사…… 살아 있습니다만.

눈을 가늘게 뜨고 속삭이는 마리우스 선생님의 시선이 따가워.

"다양한 소원이 있겠지. 그걸 받아들이고 격려해준 부적 제작자가 습격당해 살해됐다는 걸 알면 수도원 주변 마을 사람들은 슬퍼하겠지. 녹색 손을 박해했다는 걸 이웃나라 백성들이 알면 그들은 어떻게 나올까. 옛날이야기인 녹색 손의 박해는 국토를 죽음에 이르게 했는데 그게 현실이 된다고 생각한다면?"

"그들은 내일을 사는 사람들이니 나라의 우두머리가 누구든 하루하루 풍족하게 살게 해주지 않는다면 외면하겠지."

"지켜주는 사람이 곁에 없다면 더더욱."

"뒤룩뒤룩 살찐 중앙의 귀족보다 적국이지만 자신들을 도와줄 사람 쪽을 택하겠지."

가정형이지만 그렇게 되도록 만드는 거겠죠. **알아요.**

으음…… 나, 모르는 사이에 이웃나라와 플래그를 세운…… 건가.

"엘. 여기서 나가선 안 돼. 볼일이 있을 때는 나나 호위와 함께 움직여. 혼자 있게 되면 안 되니까."

림 도사님의 말에 나는 얼굴을 들었다.

하, 하지만 그렇게 간단히 유도당해줄까.

이웃나라도 나라. 치수에도 힘을 쏟고 있을 거고, 그렇게 간단히 옛날이야기인 녹색 손을 재현할 수 있을 리 없다.

내 불안한 표정을 읽었는지 마리우스 선생님이 자리에서 일어나 내 앞에 섰다.

"마리우스 선생님."

"걱정할 거 없어. 로즈. 이 정도 인원과 두뇌가 모였으니까. 네가 노래라도 부르면서 우리에게 차를 끓여주는 사이에 전부 끝나."

이지적인 물빛 눈동자가 부드럽게 가늘어졌다. 그 미소를 보고 아아, 역시 마리우스 선생님은 마리아 선생님이라고 생각했다. 웃는 게 똑같다.

멍하니 마리우스 선생님을 보고 있자 따뜻한 손길이 느껴졌다. 림 도사님이었다.

옛날부터 불안하거나 울고 싶어지거나 외로울 때면 기림 선생님은 이렇게 아무것도 아니야, 라며 위로해주셨다.

가볍게 머리를 쓰다듬어주는 다정함에 몇 번이고 용기를 얻었다.

"그래. 딱히 사막화를 추진하는 게 아니야. 아주 살짝 지금의 왕후 귀족이면 이 나라가 끝난다는 초조함을 이웃나라 백성에게 심어주는 것뿐이야. 그 나라는 그 나라의 백성에게 맡겨야 하는 거잖아?"

""넘봐선 안 될 것을 넘본 그들이야말로 벌받아 마땅하지만 국민에게는 아무런 죄도 없으니까.""

"(당신들, 그들이 넘봐서 화가 난 건 나라가 아니라 엘로즈잖아) 뭐, 좋아. 마리우스 선생, 부탁하지."

"후후, 뭣하면 수원 지대를 몽땅 이동시킬까? 왕성 주변 정도라면 내일이라도 사막으로 만들 수 있는데."

마리우스 선생님이 동네 슈퍼에 심부름이라도 가는 것처럼 가볍게 말씀하셨다.

수…… 수원 지대 이동이라니. 하지만 마리우스 선생님이니까 가능해, 완전 가능해. 최강의 물 속성인걸. 하, 하지만 그건 너무한 거 아닐까. 불안하게 시선을 굴리자 림 도사님이 시원스레 말했다.

"녹색 손의 박해라는 인상을 심어주기 위해서니까. 화려하게 부탁해. 그 김에 왕성에 이걸 떨어뜨리고 와줄래?"

"아아. 작아서 그만 깜빡했군. 그럴 마음이 없어도 떨어뜨리겠지."

아름다운 두 사람이 서 있는 모습. 눈이 부셔서 현기증이 났다. 다른 의미의 현기증이지만. 도사님, 손바닥에 떨어뜨린 그건 혹시.

황급히 장군을 올려다봤다.

바로 외면당했다. 장구우우운!

이러저럭 바쁜 하루가 끝나가고 있었다.

일부 공작원과 지혜를 짜내는 현자와 싸울 수 있는 의사가 텐트를 나가는 것을 배웅하고, 나는 장군의 눈이 빛나는 군용 텐트에서 수녀님들에게 둘러싸여 잠들었다.

다음 날, 아침 햇살에 눈을 뜬 내 눈에 들어온 것은 메마른 대지였다.

황야로 변해버린 농지를 본 그 날 아웃나라는 끝나 있었다는 것을, 나는 한참 후에 알았다.

……그날, 이웃나라는 옛날이야기를 몸소 실현한 것이다.

단 하룻밤 만에 강이 말라붙고 우물이 마르고 그렇지 않아도 메말라 있던 땅이 새하얗게 말라 사막으로 변했다.

이웃나라의 경악은 재능이 없는 나로서는 짐작할 수 없었다.

왕이 녹색 손을 죽이지 않았다고 선언해도 사람들은 믿지 않았다.

이변이 일어난 지 사흘째 되던 날, 반란이 일어났다. 하지만 군주 제도가 무너질 거라고 누가 생각이나 했을까.

단순한 지방 농민의 봉기로 보였던 첫째 날, 젊은 농민들이 덮친 귀족 저택에서 각국에서 유괴된 아가씨들이 갇혀 있는 것이 발견됐다.

그때까지 귀족들의 행위에 격노했던 농민이 더한 악행의 증거를 목격한 것이다.

그들은 국경 부근에서 경계 근무를 하던 우리나라의 헌병에게 아가씨들을 보호해달라고 요청했다.

자국에 호소하려 해도 자국의 신용은 땅까지 추락해 있었다.

그들은 믿을 만한 상대를 찾다가 자국의 병사가 아닌 우리나라의 병사에게 도움을 요청한 것이다.

지하실에 감금되어 있던 아가씨들이 발견됨으로써 소동은 나라를 넘어 커지기 시작했다. 이미 일부 지방의 반란으로는 수습되지 않고 분쟁이라고 불릴 규모로 변해 있었다.

우리나라의 영애도 몇 명 잡혀 있었던 모양으로 장군은 바빠 보였다.

그녀들을 집으로 돌려보내는 한편, 같은 저택에서 보호(×, 포박○)된 우리나라의 귀족도 있었다고 한다.

복숭앗빛 대원이 전형적인 악역의 모습이었다고 알려줬다.

하지만 결백하든 아니든 아트페가 습격받은 이 시기에 이웃나라 왕가 직속의 귀족 저택에 있었던 것이다.

이 사실은 변하지 않았다.

그리고 "함정에 빠진 거야."라고 소리치는 귀족의 이름을 듣고 납득했어요.

유리파스 후작가. 유명한 공후작 가문은 많고 많지만, 야심으로 가득 찬 불쌍한 남자였다. 우리 돼지(아빠)의 초대에 응해 여러 번 저택에서 만났던 남자. 내 안에 흐르는 피를 특히 갖고 싶어 했던 남자. 딕섬 공작가에 대들고 무시당했던 만년 5위의 후작가. 나보다 연상인 딸을 전하에게 시집보내려고 일을 꾸몄던 남자.

소설에서는 엘로즈의 종복이었던 유리파스 후작이 공식적으로 악역을 펼치고 있을 줄이야. 이것도 흑장미 보정의 소행일까.

다만 장군에게 연행된 후작이 림 도사님과 마리우스 선생님의 얼굴을 본 뒤 내 얼굴을 보고 풀썩, 무릎을 꿇었기에 모든 것이 끝났다고 생각했다.

실제로 이 이후 그는 나라 법의 심판을 받았다.

같은 시기에 그를 추종했던 귀족들도 모두 검거되어 어떤 이는 죄를 인정하고 어떤 이는 억울함을 주장한 모양이지만, 유리파스 후작의 저택에서 압수된 장부와 「전」 후작의 자백, 나아가 일전에 공작가 대기실에서 체포된 에릭 아무개 외 두 명의 자백 덕분에 그들의 죄도 밝혀졌다.

「전」 후작은 녹색 손으로 짐작되는 내 신병을 이웃나라 왕가에 넘기고 이웃나라의 농지 회복에 도움을 주게 하는 동시에 나를 이웃나라에 감금한 채 혼인을 맺을 계획이었다고 한다. 눈앞에 염원하던 왕족과 한없이 가까운 피가 있으니 그런 망상에 빠지는 것도 이해한다. 동의는 하지 않지만!

만약 그렇게 됐다면 혀를 깨물었을 자신이 있다.

여담이지만 앞으로 부녀자를 사리사욕으로 유괴한 자나 부녀자를 폭행, 강간한 자는 미수에 그치더라도 거베라 3호~5호와 강제 미팅 형에 처한다고 한다.

예쁘고 귀여운 소년 소녀를 수집해 여러 가지로 힘쓰는 남자에게는 새로운 바람을 느끼게 해 잠정적 피해 아동을 줄이려는 의도가 있다고 한다.

거베라들! 파이팅! 흑장미가 응원해!

이러저러해서 이웃나라의 한 지방에서 시작된 농민 봉기는 왕도까지 확대되어 군주 제도를 뒤엎고 농민이 귀족 거리를 활보하고 이웃나라 내에 자치령이 난립하는 비상사태로 발전했다.

분명 교과서에도 실리겠지.

일부 특권 계급은 불만이겠지만 농민이 덮친 귀족은 과도하게 세금을 징수하는 탐관오리뿐이었던 모양으로 그들도 사람을 봤던 거라고 생각한다. ……위정자로서 건전했던 귀족은 덮치지 않았던 모양이니까 말이다.

이것도 분명 시대다. 시대가 원했으니 어쩔 수 없다.

이웃나라의 봉기한 농민 중에 우리나라의 첩보 부원이 있었던 것도 농민을 선도하는 위세 좋은 형님들이 모두 우리나라의 헌병들이라는 것도 분명 기분 탓이라고 생각한다.

닮은 사람들은 어디에나 있다.

웃으며 다른 나라 백성과 인사하는 헌병들은 일이 끝난 만족감을 숨기지도 않았다.

회의 중간의 짧은 시간 동안에 차를 대접하면서 선생님에게 물었다.

"선생님, 그 나라의 운명도 결정된 모양이고, 슬슬 지력(地力)을 되돌려도 되지 않을까요?"

"지위에서 내쫓긴 전 귀족이 사태를 파악할 때까지는 이대로가 좋겠지. 나도 엘과 조금 더 느긋하게 있고 싶고."

"옛날이야기의 신빙성은 더할 나위 없을 정도로 증명됐어요."

림 도사님, 바보 같은 소리 말고 얼른 마법진을 그려주세요.

"선생님, 전 귀족이 깨닫기 전에 농님들이 굶어죽을 거예요."

주로 어린 아이들이 말이다. 귀족이 칼에 찔리든 목이 매달리든 목이 마르든 아무 상관없지만 이대로라면 다들 쇠약해지고 만다.

비축해둔 식량도 미미한 규모일 테니 아트페의 수녀님들도 걱정하고 있었다.

"로즈의 소원이라면 어쩔 수 없지. 그리고 확실히 조수가 들고 날 때야."

마리우스 선생님도 멍청한 말을 하기 전에 얼른 수원을 원래대로 돌려놔주세요. 물이 없어서 곤란한 건 귀족뿐만이 아니라고요.

아, 하는 김에 광독도 정화해주시면 농민들이 기뻐할 거예요……,

라고 말하지 않아도 이미 생각하고 있으려나…….

"결단을 내려주셔서 고맙습니다. 뛰어나신 림 도사님과 마리우스 선생님의 마음을 헤아릴 수는 없지만, 저는 무척 소심하고 욕심 많은 아이예요. 이 땅의 황폐함이 아트페 수녀님들 탓이 되면 곤란하니 부디 잘 부탁드려요."

후세의 역사서에 근방에 악녀가 있었다는 말은, 사실이라고 할지라도 적히면 곤란하다.

이웃나라의 상황을 살피던 두 분이 적기에 움직여준 덕분에 실제로 2주 만에 우물에서 물이 솟아올랐다.

엄청난 기세로 뿜어져 나온 물이 태양 아래 물방울을 튀기며 반짝이는 모습은 무척 아름다웠다.

그 자리에 있던 사람들의 지친 얼굴이 미소로 바뀌는 것을 보고 안심했다. 사막으로 변한 대지도 조만간 옅은 녹색을 되찾을 것이다.

나이 많은 수녀님들의 이동을 위해 부드러운 쿠션이 깔린 거대한 마차가 도착했다.

드디어 귀환이었어다.

녹색 손은 대외적으로 사망한 것으로 하는 모양으로, 그것은 어딘가 속세를 벗어난, 소풍을 떠나는 것 같은 장송이었어요. 묘하게 어두우면서도 밝았다.

"선생님. 아란은 어떻게 하고 있어요?"

왕성이 멀리 보일 무렵, 왕도와 연락을 취하고 있는 림 도사님이라면 상황을 알까 싶어, 단 하나의 걱정거리를 물었어요.

“『사망』을 의식시키기 위해서니까.”

“……그렇군요.”

그렇다면 망령이 되어야 하니까 아란을 만날 수 없다는 걸 알고 한없이 우울해졌다.

“선생님, 아란은 강한 아이에요. 하지만 아무리 강한 활시위도 때로는 끊어져요. ……힘이 되어주시겠어요?”

“물론.”

이로써 아란도 림 도사님과 이어졌다. 지켜주는 공은 많을수록 좋고 성장에도 도움이 된다.

이웃나라와의 전쟁 플래그도 피했고 나머지는 아란의 성장과 사랑으로 매듭짓는 일뿐이다.

아, 누나는 크르트 님을 가장 추천한다. 하, 하지만 아란이 림 도사님이 좋다면 각오는 되어 있다.

수녀님들을 태운 큰 마차가 나타나자 마치 영웅의 귀환처럼 민중들의 환호가 쏟아졌다.

고개를 숙이고 수녀님들에게 둘러싸인 채 성내로 진입했다.

잠시 숨을 돌릴 새도 없이 대기실로 보내져 한 시간 정도가 흘렀다.

장군과 재상을 거느리고 갑자기 모습을 드러낸 폐하가 “돌아왔구나, 로즈. 심부름을 부탁하마.”라며 평소처럼 아무렇지 않게 말씀하시기에 나도 조건반사적으로 “그러겠습니다, 폐하.”라고 답해버렸다.

……어?

눈앞에는 씨익웃으면서 사악한, 그러니까, 사람을 잡아먹…… 무척 시원하고 멋진 미소를 짓고 있는 폐하가 있었다.

"옷은 갈아입지 않아도 돼. 동문으로 오렴."

잠깐 거기까지, 라는 가벼움에 낚여 향한 곳에서 나는 다시 마차에 태워져 문답의 필요성도 없이 여행을 떠나게 됐다.

"폐, 폐하? 저는 일하지 않으면 빚을……!"

"아, 그건 다 갚았어."

"네?"

마차 창문으로 몸을 내밀고 폐하께 외치자 멋진 미소를 지은 폐하가 그렇게 알렸다.

"수호의 팔찌와 정화의 팔찌. 재상(이 녀석)에게 전부 납입했잖아? 그걸로 빚은 다 갚았다. 이제 너는 그냥 엘로즈야. 이제부터 조금 시끄러워질 테니 그동안 피서를 다녀와. ……그래, 총 3년 정도? 필요한 건 전부 준비해뒀다."

"사전 교섭과 말 맞추기도 완벽해."

"절대로 입을 열지 않을 테니 안심해."

폐하의 뒤에서 재상과 장군도 참으로 멋진 미소를 짓고 있었다.

"아, 하, 하지만 저에게도 일이! 신용이!"

"괜찮아. 수도원 원장에게는 종적을 감추는 이유를 알렸으니까. 진정되면 인사하러 가는 것도, 왕가 주도로 수도원 부흥을 위해 힘쓰겠다는 약속도 했어. ……아무것도 걱정하지 마. 아란에게는 미안하지만 진정될 때까지 넌 죽은 사람이다. 그러니 성을 떠나. 이해하겠지, 엘로즈. 그리고 두 명은 짐이 꼭 붙잡아두마. 당분간 행선지는 말하지 않을 작정이니까. 마음껏 여행을 즐기렴."

"폐하, 배……백부님! 제가 갈 곳도, 용건도 알려주지 않으셨어요!"

그리고 두 명은 누구예요.

"아아, 말하지 않았느냐. 방문 요청이 있었다고. 엘로즈, 이건 무척 명예로운 일이다. 인간의 치세가 시작된 이래로 처음 있는 쾌거야…… 인간이 엘프의 요청을 받고 마을을 방문하는 거니까."

북방 변경, 폐쇄된 공간, 보이지 않는 마을 등으로 일컬어지는, 인간을 거부하는 마을. 마차는 엘프 마을로 향하는 모양이었다.

"걱정되면 수녀들에게 편지를 쓰거라. 그래, 네가 불편하지 않도록 할아범도 함께 보낸다."

"아."

그냥 마부인 줄 알았던 인물은 할아범이었다.

깊숙이 눌러쓴 모자를 벗어 가슴에 대며 세련되게 예를 갖추는 할아범을 보고 눈이 휘둥그레졌다.

"엘프 마을이 인정하는 몇 안 되는 사람들 중에서 엄선했더니 이렇게 됐다. 엘프 마을에 들어갈 수 있는 건 너와 할아범뿐이야."

무시무시한 할아범. 얼마나 대단한 사람인 걸까.

당황한 와중에 백부님의 눈이 부드럽게 가늘어지는 게 보였다. 그 모습이 점점 작아졌다.

"배……백부니임!"

"건강하거라, 엘로즈. 너를 만나서 기뻤다. 다시 만날 날을 기대하고 있으마."

마지막으로 들린 말은 무척 다정한 울림이었다.

계속

아가씨와 나

내 이름은 마르크.

오직 왕가의 그림자로서의 인생만 허락된 남자입니다. 거두어 주신 주인님께 충성을 다하고 있습니다.

"할아범, 책."

"뭘 하고 있어, 마르크! 빨리 증서를 가져오지 않고!"

"지금 가겠습니다, 안주인님. 아가씨, 책은 미리아리아에게 읽어 달라고 하십시오."

"미리는 아버지가."

데리고 갔다며, 고개를 숙이는 아이와, 그 이상으로 손이 많이 가는 부부 때문에 소녀는 움츠러들기만 했습니다.

"마르크! 뭘 하고 있어!"

"지금 갑니다. 아가씨, 그럼 이만 실례하겠습니다."

"……네."

나는 그저 부부가 시키는 일을 착실하게 수행하는 유능한 인재로 보이기 위해 담담히 일을 처리해왔습니다. 부부의 말에 충실하면 할수록 기분 나쁜 업무를 강요받게 됐지만 주인님의 목적을 위해서는 수단을 가릴 수가 없습니다.

"좋아, 좋아. 울면 울수록 잘 조여져! 오옷, 가만 있어, 요 계집. 마르크! 붙잡아!"

"알겠습니다."

"흐아악! 싫어!"

"크하하하! 오오오, 잘 조여진다!"

거친 콧김을 내뿜으며 메이드의 허벅지 사이에 허리를 밀어붙이는 남자의 추태에, 몇 번을 그 목덜미에 나이프를 꽂고 싶은 충동을 느꼈던가.

"싫어! 하지 마! 흐응, 싫어!!"

"크크크크! 더 더 나를 즐겁게 해다오! 자 자 움직이지 말고…… 으흑!"

약으로 억지로 발기한 남자의 배 위에 다리를 벌리고 올라타 허리를 들썩이는 여자의 흐늘거리는 몸은 눈에 담기조차 끔찍할 만큼 추악했습니다.

문란한 일상생활 속에서 유일하게 깨끗한 공기 속에 계신 분이 아가씨였습니다.

짐승 두 마리가 쾌락을 쫓아 향연의 열기가 최고조에 이르자 나는 방에서 빠져나갔습니다.

가벼운 식사를 은쟁반에 담아 별채의 방문을 노크하고 안으로 들어가니 싸늘한 방 안에서 움직이는 사람이 있었습니다.

"……아가씨, 아직 일어나 계셨습니까."

"어머니가 좋아하는 책을 읽어줘."

예상대로 아가씨는 기쁜 표정으로 나를 올려다보았습니다. 하지만 여섯 살 아이가 깨어 있어서 좋을 시간대가 아니었습니다.

혼이 날 줄 알았는지 목을 움츠리며 풀죽은 표정을 짓는 아가씨를 보고, 나는 한숨을 쉬었습니다.

"……할 수 없지요. 읽어드릴 테니 다 읽으면 주무시는 겁니다."

"고마워, 할아범."

옆 테이블에 쟁반을 내려놓고 아가씨가 안고 있는 그림책을 받아 들었습니다. 예쁜 삽화가 그려진 그림책입니다.

"……옛날 옛적 어느 마을에 아름다운 아가씨가 살았습니다. 너무나도 아름다운 아가씨는 마녀의 저주에 걸려 말하지 못하는 나무가 되고 말았습니다……."

"이 아름다운 아가씨가 어머니지? 이 아가씨가 나라고 저번에 어머니가 말씀하셨어."

확실히 이 책은 그 여자가 삽화가에게 명령해서 만든 그림책이지만, 주인공 아가씨를 자기라고 말한 걸까요.

"……아닙니다. 아름다운 아가씨는 아가씨입니다. 안주인님은 이쪽이지요. 여기, 아름다운 아가씨를 질투한 나머지 마법을 거는 마녀입니다. 불쌍한 아가씨는 나무로 변하고 말아요."

"……마녀?"

"그렇습니다. 안주인님처럼 편식을 하고 과자만 드시면 무서운 마녀가 된답니다."

"……우, 무서워."

"네. 무섭지요. 언젠가 퇴치된다고 해도 무서운 존재입니다."

이렇게 제멋대로 사는데도 결정적인 증거를 남기지 않는 교활하고 색을 밝히는 인간 같지 않은 인간. 그 여자는 마녀다. 부패했어도 주인님의 딸이다. 한 번에 숨통을 끊을 수 있도록 확실한 증거를 수집해야만 한다.

"주인어른은 결국 악마일까요……."

여자의 비명을 좋아하고 괴롭힘으로써 흥분하고 희열에 빠지는 잔혹한 악마다.

"악?"

"……아무것도 아닙니다. 계속 읽어드리겠습니다. ……나무로 변한 아가씨는 밤이 되면 인간의 모습으로 되돌아오지만 움직일 수가 없었습니다. 다리가 땅에 묶여 있기 때문입니다. 아가씨는 노래를 불렀습니다. 그 노래는 바람을 타고 이웃나라 왕자님의 귀에 닿았습니다. 슬픈 노래를 들은 왕자는 마녀의 저주에 걸린 아가씨를 위해 칼을 빼들었습니다. 싸움은 7일 동안 계속되었습니다……."

아클라우스 가문이 망하는 날, 이 나라는 두 개로 분열될 만큼 충격을 입겠지요.

……그리고 이 소녀도 아클라우스의 어둠에 삼켜져 사라지겠지요.

그 순간이 올 때까지 나는 그저 방관자처럼 역사를 지켜보며 살겠다고 생각했습니다.

소녀가 악에 물들고 파멸을 부르는 모습을.

"이 책은 어머니가 좋아하는 책이야. 끝까지 읽을 수 있으면 어머니가 나를 칭찬해주실까?"

읽어도 들어주는 사람은 없겠지.

소리쳐도 아무런 관심도 받지 못하는 괴로움은 잘 안다.

가슴을 때리는 아픔은 과거의 자신이 떠올라서일까 자신을 많이 닮은 소녀의 가엾음 때문일까. 가능할 리 없는데 일방적으로 착취당하려 하는 소녀를 어떻게든 구하고 싶다고 생각한 것은 단순한 감상일까.

계기는 전하의 세 번째 생일 잔치 날이었다.

축하하기 위해 폐하와 가일 전하 앞으로 나온 아클라우스 일족이 모두 튕겨 날아갔다.

가일 전하의 왕족 특화가 꽃을 피운 순간이었습니다. 무척 강력한 방어 마법은 얄궂게도 가일 전하에 대한 아클라우스 부부의 악의가 있었기에 발현되었던 것입니다.

……아마도 태어났을 무렵 여러 번 위험에 노출돼서겠지만 무척 강력한 방어 마법이었습니다.

시끄러운 귀족들과 황급히 움직이는 어른들 틈에서 대담하게 서 있는 소녀를 본 사람은 몇 명이었을까요.

하지만 이 사건으로 말미암아 아가씨에게 악의가 없다는 것이 판명된 겁니다.

……아가씨는 가일 전하의 방어진 「안」에 서 계셨던 겁니다.

즉시 보고서에 동봉한 가정교사 부탁 건은 굉장한 결과를 낳았습니다.

궁정 마도사인 림 님과 궁정 의사인 마리우스 님.

두 분은 마지못해 하는 모습으로 나타났지만 아가씨의 가련한 모습을 보고 상당한 충격을 받았던 모양입니다.

이 사랑스러움이 남에게 알려지는 것은 부아가 나지만 이렇게 귀엽고 사랑스럽고 씩씩한 소녀가 악마 같은 부모에게는 돈줄로만 취급되는 사실에 초조감은 더해갔습니다.

도움이 늦어지면 아가씨는 망가지겠지요.

그런 생각으로 쓴 편지는 엄청난 도움으로 돌아왔습니다.

주인님의 명령을 어길 수는 없지만, 작은 도움은 되었다고 생각합니다.

아가씨의 총명함을 알아본 두 분은 각자의 전문 분야를 철저하게 가르쳤습니다.

림 도사님은 마법진 강의를 중심으로 일반교양을.

마리우스 선생님은 혼자 길거리에 내던져져도 살아남을 수 있을 만큼의 지식을.

모래가 물을 빨아들이듯 가르치는 것을 흡수하는 아가씨를 상대하는 일은 무척 즐거웠겠지요. 두 분은 아클라우스가에 자주 드나들게 되었습니다.

앞다투어 가르치는 모습은 총애를 경쟁하는 후궁들 같아서 웃음을 자아냈습니다.

어쨌든 상대는 나이도 차지 않은 소녀였으니까요.

시간을 쪼개 자신이 가진 지식을 전수하는 두 분의 모습을 보면

흐뭇한 마음이 드는 것과 동시에 부러움마저 느껴졌습니다.

이 무렵에는 이미 저도 아가씨의 포로가 되어 있었던 거겠죠. 하루 빨리 주인님께 자질을 보여 구원받고 싶다고 진지하게 생각하게 되었습니다. 하지만 나는 그림자. 주인님이 말씀하신 도박에서 이기기 위해서라도 더욱 노력해 아클라우스 부부의 시선으로부터 숨겨야 했습니다.

일곱 살, 여덟 살, 아홉 살. 부부의 눈을 속일 수는 있었습니다.

하지만 아가씨가 열 살이 되던 해에 아클라우스 상놈은 역시 상놈임을 증명했습니다.

부끄러움을 모르는 남자가 데려 온 소년은 다섯 살치고는 작은 소년이었습니다.

아가씨보다 진한 금발에 진한 푸른색 눈동자는 당대 폐하가 가진 색깔. 왕가에서도 보기 드문 고귀한 색이었습니다.

이 색채를 가진 아이가 아클라우스 가문의 호적에 오른다는 것은 아가씨의 계승권에 태클을 거는 행위로, 도저히 받아들일 수가 없었습니다. 이때만은 파렴치한의 말에 분노를 드러낸 부인과 마찬가지로 나도 화가 났습니다.

하지만 아가씨는 달랐습니다.

"아란, 이리 오렴."

그렇게 말하며 내민 손을, 아란이라고 불린 아이는 어쩐지 이상한 사람을 보는 눈으로 쳐다보았습니다.

나는 아가씨의 도량을 잘못 알고 있었습니다.

하지만 주인님과의 약속이 있었습니다. 상대가 먼저 접촉해오지 않는 한 이쪽에서 먼저 왕가의 그림자로서의 신분을 밝힐 수는 없었습니다. 그것은 어겨서는 안 되는 규칙이었습니다. 하지만 그 규칙을 깨고 싶었던 적이 한두 번이 아니었습니다.

그런 저의 딜레마를 아랑곳하지 않고 아가씨는 아란 님의 마법 소양을 길러주기로 하신 것 같았습니다. 아가씨에게도 갈등이 있었겠지요.

첩 소생의 열등한 남동생이 자신보다 소질이 있다고 인정한 것은 무척 용기 있는 일입니다. 그뿐만 아니라 목표가 될 수 있도록 경쟁 상대가 되어 서로를 자극하며 성장을 도왔으니 이것은 누구도 할 수 없는 일입니다.

하지만 아가씨는 그것을 훌륭히 해냈습니다.

아가씨가 열 살부터 열세 살이 되기까지의 3년간은 무척 스릴 있는 시간이었습니다.

아가씨는 독자적으로 정보원을 확보하고 있었는지 부모님이 깊이 관여된 위법적인 인신매매나 약물 판매와 관련하여 몰래 움직였습니다.

초조함에 사로잡힌 것처럼 인신매매 현장을 적발하여 갇혀 있던 사람을 구조하거나 문지기 헌병을 약물 매매 현장으로 유도하는 등 어떻게든 부모를 깨우치게 하려고 필사적이었던 모양입니다.

아버지이기 이전에 호색한인 남자는 파렴치하게도 아가씨의 순결을 남의 집의 야비한 자에게 팔아넘길 계획을 세웠습니다. 왕가의 치부인 여자는 진즉에 어머니라는 신분을 망각하고 남자를 옆에 앉혀두고 붙어먹는 철면피입니다.

그럼에도 아가씨에게는 가족.

그래서 아가씨가 저에게 이야기를 꺼낼 줄은 생각지도 못했습니다.

"할아범. 할아범의 『주인님』은 할아버지 아니야?"

그렇게 물으셨을 때, 제가 얼마나 자랑스러웠는지 아가씨는 모르겠지요.

아무런 유도도 없었는데 아클라우스가가 손을 대고 있는 사업이 손해라는 것을 알고 중단시키는 용기. 백성을 위해 동분서주하고, 정도에서 벗어났다는 확신이 들면 친부모를 고발하는 결백함.

각처의 무책임한 귀족들이 펼치는 중상모략에 의연하게 대처하는 총명함.

어느 면으로나 최고의 숙녀라고 극구 칭찬하지 않을 수 없습니다.

무엇보다 특필할 점은 그 행동력.

하지만 시정의 헌병과 팔려갈 처지에 놓인 아가씨들을 구출했을 때는 간담이 서늘했습니다. 늘 냉정하게 행동하는 것을 가슴에 새기고 있는 아란 님이 아가씨가 사라졌다며 얼굴이 파랗게 질렸었습니다.

비알 씨와 찾아나서 가까스로 아가씨를 발견했습니다. 그리고 그때 아란 님은 마법 특성을 꽃피우셨습니다. 최근 몇 세기 만에 나타난 공격 마법에 특화된 분이었습니다. 그때의 경악은 공포에 가까운 것이었지만 필시 아가씨는 그 자질을 눈치채고 있었겠지요.

주위 사람들이 쩔쩔매는 폭풍의 영향 가운데에서 아가씨는 느긋하고 우아하게 미소를 짓고 계셨습니다.

아가씨가 동분서주한 덕분에 증거가 모여 비로소 아클라우스의 두 사람이 구속됐습니다. 아클라우스가는 비탈길을 구르듯 추락했습니다.

아클라우스가의 암적인 존재였던 두 부모가 사라지고, 남은 것은 아가씨와 아란 님이 집안을 다시 일으키는 것뿐이라고 생각했는데, 설마 아클라우스가를 청산하기 위해서 동분서주하는 날이 올 줄을 몰랐습니다. 아가씨의 뜻대로 집과 땅과 재산을 팔아치우고 가재도구까지 모조리 팔아치워 피해자들의 위자료를 마련했습니다.

설마 정말 몰락시키지는 않겠지라고 생각했지만 아가씨의 결의는 흔들리지 않았고 시종 미소 띤 얼굴로 신분 강등을 준비했습니다.

아란 님이 왕가 측 학원의 보호를 받게 되고, 아가씨는 그 몸에 가치가 있어 밤마다 침입자가 늘기 시작해 아무리 쓰러뜨려도 다음 날 밤에는 또 새로운 침입자가 저택을 침입하는 형국이었습니다. 아가씨를 납치하거나 범하려고 몰래 숨어드는 패거리들이 많아서 난처합니다.

점차 적을 상대하는 수단에 가차 없어지고 체포하기 위해서는 본성을 그대로 드러내는 수밖에 없었습니다. 가능한 한 이런 모습을 아가씨에게 보여주고 싶지 않습니다.

차라리 저택에 침입하는 남자들을 불능으로 만드는 것도 방법이라는 생각이 들어 림 도사님과 마리우스 선생님에게 상담한 결과 꽤 진지하게 마계 식물을 마(魔) 개조해주셨습니다.

단지 죽이기만 해서는 부족하다는 림 도사림의 중얼거림이 없었다면, 나는 녀석들의 숨통을 확실히 끊어놓았을 겁니다.

이제부터 이 남자들은 림 도사님의 감수 아래 마계 식물과 놀아줘야 합니다. 그리고 림 도사님의 곁에서 새로운 마법진의 피실험체도 되어줘야 합니다.

생사의 갈림길에서 쾌락에 몸부림치며 자신의 죄를 뉘우치면 될 일입니다.

마계 식물의 모종판으로서의 생이지만 정신을 놓지 않도록 마리우스 선생님께 부탁해 드리겠습니다.

살아 있어도 민폐밖에 안 되는 당신들 같은 비열한 자가 아름다운 꽃을 만들어내는 토양이 될 수 있는 기회이니 감사해했으면 좋을 정도입니다.

우울한 공작가의 자제는 한숨을 쉰다

왕립 학원에 어린 할멈이 나타났다.

그것도 나이 많은 수녀들이 청소 봉사를 하는 수행일에.

그 소문을 들은 나월 딕섬은 머리를 감싸 안았다.

—틀림없이 그 녀석이다.

"뭐랄까 덧없으면서도 지켜주고 싶은 느낌이랄까. 촉촉한 눈빛으로 이렇게 쳐다보면서 고맙습니다, 라고 하더라니까."

"은쟁반 위에 옥구슬 굴러가는 소리는 그런 목소리를 두고 하는 말이겠지."

"맞아, 맞아. 귀여웠지. 마스크를 벗으니까 엄청난 미인이라 깜짝 놀랐어!"

"뭔가 좋은 냄새도 났어!"

"나는 배경에 장미 꽃다발이 보이더라."

"아, 나도, 나도. 세계가 변하는 느낌이었달까?"

"그런데 봉사 활동 온 수녀라면 할망구 아냐?"

"맞아. 환각이라도 본 거 아냐?"

"환각이든 할망구든 그건 존재해."

"완전 존재해!"

평민 출신 학생들이 모여 로리 할멈 이야기로 꽃을 피우고 있었다.

그 녀석을 그것이라고 불러서 화가 나서 슬쩍 노려봤더니 얼굴이 창백해져서 서로 어깨를 붙이고 떨었다.

……이런. 어느샌가 위협을 한 모양이다.

그러나 그 후에도 학생들 사이에서 로리 할멈 소문은 수그러들지 않았다. 다음 봉사 활동 날을 기다리는 학생들이 생기는 형국으로 들떠 있었다.

다음 봉사 활동 날은 소란스럽겠다고 생각했더니 어머니가 참전했다.

게다가 공작가 주최의 토너먼트 전을 기획해서.

그리고 상품석에 앉아 있는 그 녀석.

하긴 어머니의 기세라면 도망칠 수 없었을 거다.

학생은 물론이고 나라의 기사와 마술사가 출세를 걸고 겨루는 대회가 되고 말았다. 당초에는 예의 그 멍청이 자식들에게 부적을 건네기 위한 구실이었는데.

게다가 어째선지 왕성에 있을 터인 림 도사님과 마리우스 선생님이 참전했고 당연한 일이지만 압승을 거두었다. 마지막에는 일대일 승부가 되었다.

도사도 의사도 어른답지 못하다.

오산이라면 어린 할멈의 전설이 아직까지 남아 있다는 점과 공작가 영애의 아름다움이 항간에 화제가 되었다는 점일까.

바보들은 놀아났다.

"흥, 어차피 할망구는 할망구겠지. 그런 점에서 우리는 틀림없이 여신을 만났어!"

"공작 영애의 아름다움은 필설로는 형용하기 어려운 데가 있었지."

"나윌이 부러워."

"그렇게 아름다운 누님이 계시다니."

"공작부인도 아름다우시고……."

이봐들, 그 할멈과 여신은 동일인물이라고.

그리고 내 어머니와 누님이 아름다운 건 당연하다. 우리 가족이니까!

붙지도 떨어지지도 않고 쫓아오는 녀석들이 성가시다.

평소라면 찌릿, 노려보기만 해도 멀찍이 떨어져서 바라봤었는데 공작가 주도로 부적을 받아서인지 최근에는 금붕어 똥처럼 줄줄이 쫓아온다. 성가시지만 보고 있으면 재미가 있어서 가만히 둔다.

어쨌든 늘 부적을 몸에 지니고 다녀서 녀석들 위에는 다양한 것들이 떨어진다. 이게 꽤 재미가 있다.

……새똥 같은 건 귀여운 축이다.

"앗! 위험해!"

"도망쳐."

공중에서 떨어지는 화분과 벗겨져서 떨어지는 발코니.

"이런……!"

"우왓! 피해!"

폭발한 마법진에서 발사된 전류와 물줄기, 기사 과정에 있는 학생의 투창.

"다음 문제를 풀어보도록. 바로 어제 배운 거다. 모른다는 말을 안 통해."

변덕스러운 강사의 벼락 시험.

매일 어떤 불이익을 당하는 모습을 보는 것은 솔직히 재미난 구경거리다.

그러나 그 부적의 진수는 그런 데 있지 않았다.

"아, 기림 선생님. 질문이 있습니다. 지난 번 시험에서 나월이 사용했던 마법진의 전개도 말인데요……."

귀족 영애들에게 둘러싸인 림 도사님과 마리우스 선생님에게 예의 그 멍청이가 관두면 좋을 말을 걸었다. 하지만 늘 싱긋 미소를 짓고 있는 마리우스 선생님이 표정을 지운 것과, 늘 무표정한 도사님이 미간을 찡긋 좁힌 것을 과연 몇 명이나 눈치챘을까.

"그 이름은 엘프족만이 입에 담는 것이 허락된 이름이다. 인간 따위가 건방지에 입에 올릴 이름이 아니야."

"그래. 기림은 나에게 이름을 부르도록 허락했지만 너는 허락을 받았나?"

"죄, 죄송합니다. 하, 하지만 마리우스 선생님이나 다른 학생들도 다들 선생님을 그렇게 부르지 않습니까?"

"동료가 그렇게 부르니 자기도 그래도 된다고 생각하나? 내 학생에게 어떻게 부르게 하든 그건 내 마음이지. 천박한."

절대 0도의 눈빛에 누가 맞설 수 있을까. 그리고 그 눈빛이 포착

한 것이 더 큰 파란을 불러왔다.

"……그 부적……."

"앗, 네. 이건 딕섬가의 영애께서 주신 부적입니다."

부적을 손바닥 위에 올려놓고 뺨을 붉히는 멍청이의 모습에 무심코 하늘을 올려다봤다.

위기관리 능력이 너무 없다.

"그럼 내일은 특별히 너희에게도 견학할 기회를 주지."

밝게 웃는 마리우스 선생님의 눈빛이 웃고 있지 않는 걸 어째서 모르는 거냐.

"그래. 그 아이가 주목한 너희들의 실력을 꼭 우리에게 보여줬으면 좋겠군. 틀림없이 우수하겠지."

"아."

"내 강의를 따라올 수 있으면 전하께 잘 말해줄 수도 있어."

현자가 아름답게 웃었다.

"그래. 내 수업을 따라오면 폐하께 진정을 넣어줄 수도 있어."

궁정 의사가 더욱 미소 지었다.

""자, 어떻게 할래?""

두 미남이 히죽거리며 던진 악마의 속삭임에 녀석들은 함락될 것이다. 저항할 수 있다면 저항해보라.

—그 녀석이 만든 부적의 위력은 끝이 없다.

아무 짓도 하지 않았다면 그들의 눈에 띄는 일 없이 생을 마감할 날벌레 같은 하찮은 녀석들이 국빈급 주목을 받고 있는 거다.

틀림없이 부적 덕분이겠지.

단순히 멍청한 귀족 자제라면 주목받지 않고 평생 무사태평한 삶을 살았을 텐데.

쓸데없는 질투를 샀다는 사실을 깨닫지 못한 채 너희의 미래는 닫혔다.

……그걸 깨닫지 못한, 깨달으려 하지 않는 너희의 잘못이다.

왜냐하면 여신(그 녀석)은 이렇게도 말했잖아?

—인과는 돌고 돈다. **인과응보**니까.

■ 작가 후기

서적계의 한구석에서 처음 뵙겠습니다.

「악역 영애는 가문의 몰락을 꿈꾼다 1」을 구입해주셔서 감사합니다.

「소설가가 되자」의 문 라이트 노벨즈에 작품을 연재 중인 사쿠라 사쿠라 사쿠라입니다.

취미로 쓴 작품이지만 관심을 가지고 봐주신 하비 재팬의 N가와 씨 덕분에 이렇게 서적화할 수 있었습니다. N가와 씨의 지도가 없었다면 이 책은 완성되지 못했습니다.

그리고 여러분도 보신대로 멋진 표지와 삽화를 그려주신 키타자와 쿄 씨.

이제 하비 재팬과 키타자와 씨 쪽으로는 발을 두고 잘 수 없습니다.

처음으로 제가 만든 캐릭터가 그림으로 그려졌을 때 받은 감동은 말로 표현할 수 없습니다.

림 도사의 러프화가 상상했던 모습과 너무 똑같아서 순간 숨이 멎을 뻔했을 정도입니다. 죽진 않지만! 삽화가는 굉장하구나, 실감했던 순간이기도 합니다.

엘은 천사같이 귀엽고 아란은 진짜 천사라서 기절했습니다. 마리우스 의사도 전하도 이미지 그대로이고 컬러 일러스트에 들어가지 않은 복숭앗빛 대원의 안타까움에 대해서는 담당자와 크게 웃, 아니, 아쉬워했습니다.

"공은 다 넣고 싶지만 밸런스적으로 어려운 거죠."

"그럼 복숭앗빛 대원을 빼죠."

가엾은 복숭앗빛 대원.

다음으로 노출해도 굉장한 크르트 님입니다만.

러프화를 보고 숨이 멎는 줄 알았습니다. 그야말로 왕도 공의 관록입니다.

아홉 살인데도 이 정도 색기. 편집자도 절찬한 아홉 살의 색기를 직접 확인해주세요.

끝으로 늘 「소설가가 되자」에서 평가해주시고 감상해주시는 독자 여러분. 여러분의 응원이 없었다면 계속 쓸 수 없었습니다. 감사합니다.

늘 신세만 졌던 하비 재팬 N가와 씨.

멋진 일러스트를 그려주신 키타자와 쿄 씨.

교열 담당자님. 유통, 영업, 여러 방면에서 종사해주신 여러분.

감사의 마음을 담아 끝맺겠습니다.

여러분 덕분에 책이 되었습니다. 감사합니다.

사쿠라 사쿠라 사쿠라

악역 영애는 가문의 몰락을 꿈꾼다 1

초판 1쇄 발행 2019년 7월 10일

지은이_ Sakura Sakura Sakura
일러스트_ KYO KITAZAWA
옮긴이_ 김보미

발행인_ 신현호
편집국장_ 김은주
편집진행_ 최은진 · 김기준 · 김승신 · 원현선 · 권세라
편집디자인_ 양우연
국제업무_ 정아라 · 전은지
관리 · 영업_ 김민원 · 조인희

펴낸곳_ (주)디앤씨미디어
등록_ 2002년 4월 25일 제20-260호
주소_ 서울시 구로구 디지털로 26길 111 JnK디지털타워 503호
전화_ 02-333-2513(대표)
팩시밀리_ 02-333-2514
이메일_ lnovelpiya@naver.com
L노벨 공식 카페_ http://cafe.naver.com/lnovel11

An evil princess bring her parent's home to ruin. 1

Illustration KYO KITAZAWA
Originally published in Japan in 2019 by HOBBY JAPAN Co., Ltd.

ISBN 979-11-278-5135-4 04830
ISBN 979-11-278-5134-7 (세트)

값 9,000원

중고라도 사랑이 하고 싶어! 1~12권

타오 노리타케 지음 | ReDrop 일러스트 | 이진주 옮김

"웃기지 마! 이 비처녀가!" 고등학생 아라미야 세이이치는
교내에서 제일가는 불량 학생 아야메 코토코의 말썽에 휘말린 사건을 계기로
아야메 코토코가 끈덕지게 따라다니는 상황에 처하게 되고, 심지어 고백까지 받는다.
그러나 세이이치는 신념에 따라 그것을 거절한다.
"야겜의 히로인 말고는 흥미 없어." 미인이지만 중고라는 소문이 도는
코토코는 아예 논외였다. 그것으로 포기하리라고 생각했건만…….
"반드시 네 이상이 돼주겠어."
그렇게 선언한 코토코는 게임의 히로인과 같은 트윈테일 미소녀로 변신!
이건 대체 무슨 야겜? 인가 싶을 만큼 억지스러운 방법으로 세이이치에게 접근한다!!
불량소녀와 오타쿠.
얽힐 일이 없을 터였던 두 사람의 이야기는 어디로 향할 것인가?!

『소설가가 제가 된,
「사실은 일편단심 순정 소녀」계 러브코미디!!

라이트노벨의 새로운 빛! L노벨의 신간은 매월 10일에 발매됩니다. http://cafe.naver.com/lnovel11